朝日新書
Asahi Shinsho 760

京都まみれ

井上章一

朝日新聞出版

まえがき

『東京ぎらい』という本を書かないか。さいきん、東京のある出版社から、そう声をかけられた。

二〇一五年に、私は『京都ぎらい』をだしている。これが、わりあい評判になった。それで、つぎは東京を論じさせようというさそい水が、むけられたのである。

『東京ぎらい』というタイトル案までもちだしてくれたのは、一社だけだった。それでも、似たような話は、いくつかの出版社からいただいている。東京という街を、皮肉っぽくえがきませんか。お得意の辛口で、東京を批判的にあげつらいましょうよ、などなどと。

関西在住の私は、東京へ敵愾心《てきがいしん》をいだいているにちがいない。あいつなら、にくまれ口をたたけるはずだと、思われてしまったのだろうか。あるいは、前著の書きぶりに反東京的な匂いをかぎとっての、御提案なのかもしれない。

もうしわけないことだが、私はそれらをことわっている。自分には書けない、と。

まず、私は東京のことをよく知らない。年に何回か、仕事でおとずれることはある。神田神保町の古書店街で、本をさがし歩く機会もないではない。しかし、私の視線がおよぶのはそこまでである。街についての生活実感は、ほとんどない。東京の街をあれこれ語れるとは、とうてい思えないのである。

それに、私はそれほど東京をきらっていない。若いころは、少なからずあこがれてもいた。首都で一旗揚げようという野心だって、昔はいだいたことがある。そんな過去に目をつぶって、東京をあしざまに論じるのは、気がすすまない。私が東京批判をためらう、もうひとつの理由である。

こう書くと、いぶかしく受けとるむきも、おられようか。えっ、京都の人は、たいてい東京を見下《みくだ》しているんじゃあないの、と。

そう、たしかに東京を悪く言う京都人は、おおぜいいる。東京への出張を「東下り《あずまくだり》」と言いはなつ人だって、前にも書いたが、少なくない。京都こそほんとうの都《みやこ》で、東京はまだ都になっていないと言いきる人さえ、散見する。京都人に、東京を矮小化《わいしょうか》したがる傾向のあることは、まちがいないだろう。

しかし、私は京都人じゃあない。生まれたのは花園《はなぞの》であり、そだったのは嵯峨《さが》である。どちらも京都市右京《うきょう》区の、いわゆる洛外《らくがい》に位置している。京都人が、京都の内側だとはみとめない外側で、はぐくまれた。

私は、だから洛中《らくちゅう》の人びとと、価値観をわかちあえないし、わかちあいたくない。東京についての考え方も、典型的な京都人流とは距離をおきたく思ってきた。洛中を生きる町衆は、しばしば東京をくさして悦に入る。ならば、逆に意地ははらず、東京をみとめ、すなおになろう。これが私の東京観である。

東京へおもむくのは「東下り」だなどという言い草は、もうやめたらどうか。「関東下向《げこう》」という旧幕時代以前の観念は、とっくにきえうせている。

じっさい、みんな新幹線の「上り」で、あちらへでかけているじゃあないか。いまだに「東下り」と言いつづけるのは、負けおしみにすぎない。東京へおもむくことも、おおらかに「上京」と言うよう、心がけたいものである。私はそう考える。

しかし、一部の京都至上主義者は、新幹線にたいしても違和感をしめしやすい。東京へむかうのが「上り」やて。ＪＲはなんにもわかってへんのやな。そんなけったいなきまりごとを、わたしらにおしつけんといてほしいわ、と。

私は京都人たちのそんな言いっぷりに、なじめない。この本でも、批判的にむきあう予定である。

ただ、その都合で、彼らの物言いも、数多く紹介せざるをえなくなる。京都人が、えらそうに東京をこきおろす。その語り口を披露するところは、いやおうなくふえてしまうだろう。

私じしんは、彼らの尊大さをからかうために、それらを例示していくつもりである。京都人が口にする東京への優越論は、ゴマメの歯軋《はぎし》りめいた僻事《ひがごと》でしかない、と。

しかし、紹介される例の数が多くなりすぎると、読者は誤解をするかもしれない。この井上という書き手は、京都人の反東京感情を、さまざまな形で見せている。いちおう、それらは揶揄的《やゆてき》にあつかわれていると、みなせる。だが、これだけ数をあつめられると、読後の印象はちがってくる。あんがい、当人も同じように、東京をあなどりたがっているんじゃあないか、と。

京都は、こんな点で東京よりすぐれている。京都のこういうところは、東京でもとうていたちうちできない……。そんなことばっかり言っている京都人って、高飛車でしょ。こっけいですよね。と、そう表面的には書いている。しかし、本音はちがう。じつは、著者も同類で、京都の優越性が印象づけられることを、ねらっている。書き手の真意は、逆説的な東京への対抗心にあるのかもしれない。

例示の量がK点をこえれば、そう読みあやまられてしまう可能性もある。執筆にあたっては、匙《さじ》加減に気をつけたい。『東京ぎらい』は書けないと、わざわざ私は冒頭から書きだした。それも、今のべたような誤読をおそれての前置きである。

くりかえすが、いくつかの出版社から私は東京批判の本を書けと、すすめられた。私はそれらをことわっている。しかし、そうした要請のおかげで、今回は東京について、いろいろ考えることができた。この本も、ふたつの街をくらべる二都物語めいた読み物になっている。さそいの言葉をかけてくれた編集者のかたがたには、感謝するしかない。

京都まみれ　目次

五　老舗の宿命

写真＝朝日新聞社／朝日新聞出版
地図作成＝谷口正孝

一　文化庁がやってくる

――地方創生にあらがって

文化庁が、まもなく京都へやってくる。その引っ越しが、京都ではおもしろい扱いをうけている。他府県の人びとは、あまり知らないと思うので、まずこの話からはじめたい。

中央省庁の地方移転は、ながらく政策課題のひとつにあげられてきた。いわく、現代の日本は、東京に多くの権能をあつめすぎている。いわゆる東京一極集中の現状は、さまざまな弊害をもたらした。首都の過密化と地方の空洞化を、日本は余儀なくされている。このさい、いくつかの省庁は地方へうつしたほうがいい、と。

二〇〇六年にはじまった安倍政権も、そのことをうたいあげた。地方の活気をとりもどそう。中央省庁の移転を活性化の起爆剤にしようと、提言した。のみならず、じっさいにその方向へむけ、うごきだしている。いわゆる地方創生事業である。

今のところ、このプランがみのりそうな例は文化庁の移転しかない。

東京外への転出が検討された省庁は、ほかにもいくつかあった。だが、それらはみな、さたやみになっている。消費者庁は、ごく最近まで徳島へ全面的にうつす手だてが、さぐられた。しかし、この計画も見おくられることが、二〇一九年の夏に発表されている。徳島へおくのは、研究拠点という名の出先機関にしかならないことが、確定した。

政権のかかげる地方創生というたい文句は、けっきょく京都でしか実現しきれない。どうやら、そんな結末でおわるだろう情勢に、今はなっている。

ところが、その京都でも、地方創生がなしとげられるかどうかは、うたがわしい。じっさい、文化庁をうけとる側の京都は、この標語をはねつけている。

政権は文化庁の一件を、地方創生事業のひとつとして位置づけようとする。しかし、京都は「地方」じゃあない。同庁の上洛を「地方」創生とよぶのは、こまる。せめて、「地域」創生にしてほしい。京都市役所などは、そう言いだした。

いや、口にするだけではない。京都では、じっさいにその名称を「地域」にかえてきた。かかわりがある書類の文言を、みな「地方」から「地域」に変換している。委員会や会合の名称も、「地域」になおしているのである。

じっさい、「地域創生」うんぬんという表示は、市井のそこかしこに点在する。それらを、見るたびに思う。東京の中央政府は、こういう京都のこだわりを、どう受けとめているのだろう。また、京都側は、「地域」でおしとおすために、どれだけねばったのか。いくらぐらいコストを、換言すれば市の税収、ひょっとしたら府のそれも投入したのか。おしえてほしいところである。

こういう名前の書き換えには、けっこう手間がかかる。中央政府とも折衝をかさね、会議をひらかねばならない。東京－京都間を、そのために往復した職員も、少なくないだろう。ずいぶんわずらわしい作業を、へてきたのではないか。

最終的には、中央政府も「地域」への名称変更を、うけいれたと聞く。じっさい、そうでなければ、京都の街にあれだけ「地域」が流布されるはずもない。

おそらく、中央側も言葉の問題では妥協をしたのだろう。文化庁を京都へうつすという方針の中身じたいは、当初のもくろみとかわらない。京都側が言いつのっているのは、地方よばわりをやめてほしいという一点に、かぎられる。そのぐらいのことなら地方に、京都のことだが、歩みよってやろう、と。

いずれにせよ、私には京都市や府のこういう執着が、よくわからない。

京都市は、もちろん京都府も、ともに地方公共団体である。つとめている役人も、みな地方公務員にほかならない。ふだんから、地方自治の充実を市民や府民にうったえかけている。東京都だって、地方自治体なのである。

なのに、なぜ文化庁の京都設置が地方創生とよばれることを、いやがるのか。何が気にいらないのか。私はいぶかしく思っている。

東京の中央政府が地方の京都へ、文化庁を下げわたす。おそらく、この見取図にがまんができなかったのだろう。ふだんから、東京への出張を「東下り」と公言する職員たちもいる自治体である。中央からの地方あつかいが露呈する形は、やめてほしかったということか。

さきにものべたとおり、徳島も地方創生で消費者庁がうつる、その候補地となっていた。京都は、そこにもこだわっていた可能性がある。徳島あたりと同列の「地方」あつかいはやめてほしい、と。まあ、徳島には失礼な話だが。

さて、首都東京には、大学がたくさんあつまっている。学生も、その多くは東京の大学へむらがる。地方には、あまり若い人材がのこらない。この現象も、東京一極集中がもたらす弊害の一例に、しばしばあげられてきた。

それをおもんぱかってのことだろう。現政権は、二〇一七年に新しい方針をうちだした。東京二十三区の大学では、今後十年間、原則的に定員増をみとめない、と。これも、地方の疲弊に歯止めをかけようとする試みのひとつではあるだろう。

この定員制限案は、東京の大学だけをしばろうとしている。地方大学の定員増については、何も言っていない。東京以外の大学が学生数をふやすのは、おかまいなし。とがめないことになっている。

いっぽう、京都は自分たちのことを地方じゃあないと言ってきた。ならば、地方に恩恵をもたらそうとするこの方針からも、背をむけてほしいものである。京都でも、東京なみに大学の定員は、今後十年間ふやさないようにしよう、と。

まあ、京都にある大学がいやがるそんな制限を、京都の文教当局はおしつけないだろう。定員の抑制策は、東京の大学だけがひきうければよいと、やりすごすはずである。地方というわ位置づけをしりぞければ、損をする。そんなケースに関しては、地方なみというあつかいも甘受するような気がする。

いずれにせよ、くりかえすが、京都は地方創生という名称を、はねつけた。そして、政権がかかげたほかの地方創生事業は、まだ実現の目途《めど》がたっていない。中央省庁の東京外移転が、はっきりきまったのは京都へうつすという文化庁だけである。そして、その京都が「地方」という名を拒絶した。

その意味で、安倍政権がうたいあげた地方創生事業は、まだひとつもみのっていない。意外なところで、京都は政権の足をひっぱっているようである。

——都の偽装

私は右京区で生まれそだった。所帯をはじめてかまえたのは伏見区で、今は宇治市にすんでいる。どこをどうとっても、洛外者である。洛中の京都人からは京都じゃあないと見られる地域で、くらしてきた。

そのつみかさねで、心の底から思っている。洛中はえらそうなところだな、と。前著の『京都ぎらい』で書いたように。

しかし、そういうことならどの都市にもあると言いかえす人が、いないわけではない。京都にかぎった市民感情でもないだろうという指摘は、けっこういただいた。

たとえば、兵庫県の芦屋《あしや》市民もプライドは高い。書きにくいことだが、彼らの多くはとなりの西宮市にたいして、優越感をいだいている。その西宮でくらす人びとも、さらに隣接する尼崎市を見下してきた。ほかの地方にだって、こういう例は、いくつもある。京都だけにはびこる心性ではないだろう、と。

なるほど、ごもっとも。おっしゃるとおり。こういう優劣の意識じたいは、全国に蔓延《まんえん》していると、私も思う。

しかし、東京へゆくことを「下る」と言いきる住民は、あまりいないんじゃあないか。東京はいつわりの都であり、うちこそがほんとうの都である。そう言いつのる人がいるのは、京都だけだと考える。あの誇り高い芦屋でも、そこまでの自慢口は、聞こえてこないだろう。

とうとつだが、早稲田大学の校歌は、同校が皇居の西北にあることをうたいあげている。「都《みやこ》の西北、早稲田の森に……」、と。これをいぶかしがる人と、京都ではでくわすことがある。おかしな歌やなあ。早稲田なんて、都のずっと東側やんか。なんで、あそこが西北になるんやろ。そう不思議がってみせる人が、京都には実在する。

ピンとこない読者も、なかにはおられようか。ねんのため、解説をする。

京都至上主義者は、京都以外の場所に都があると考えない。早稲田の地も、都から見れば僻遠《へきえん》の東に位置するとみなす。千代田の皇居を方位の基準点にすえれば西北となることは、彼らの眼中にない。千代田も早稲田も、都のはるかな東側として、ひとしなみにくくってしまう。ともに坂東の土地であり、両者の方位に有意差はない、と。

ようするに、地理的な方向のいかんをきめる原点は、今でも京都だと言いたいのである。早稲田の校歌は、そんな強がりの口実につかわれているのだと言うしかない。

早稲田の校歌には、リズムとメロディーで、イェール大学の校歌をまねたところがある。いわゆるパクリだとなじる人も、いなくはない。そして、そのことは、全国区の話題となりうる。しかし、歌詞の地理観に注文をつけるのは、京都の洛中だけだろう。

早稲田を都の西北と言うのは、まちがっている。あそこは、都の東側である。そううそぶきたい心性の持ち主が、洛外を見下している。私の生まれそだったあたりは、東京を下向の地とみなす目で、あなどられてきた。

いくら芦屋がおごりたかぶっていても、そういうまなざしでは西宮をながめまい。やはり、洛中人《びと》の自尊感情は特殊であると考える。日本全国にあるだろう周辺を下に見る心性一般とは、いっしょにあつかわないでほしい。

さて、文化庁である。その京都移転案がとりざたされだすやいなや、京都市はこれにとびついた。京都の総力をあげてむかえたい。「オール京都」で歓迎する。そう声をあげだした。また、三顧の礼でむかえるべく、中央政府のもとへ日参をしはじめたのである。

政権の方針がうごいて、話の流れがかわることをおそれたのだろうか。京都側は腰をかがめ、頭を低くして中央政府の御機嫌をうかがった。なにとぞ、文化庁を下げわたしてください、と。

そんな京都側にも、手ぬかりはあったのだろう。移転交渉の折衝でむきあった文部科学大臣の馳浩《はせひろし》から、叱責《しっせき》をうけたこともあるらしい。「誠意がたりない」というような文句を、あびせられたりしたという。

京都側のどういうところに、馳大臣が不満の意をあらわしたのかは、よく知らない。だが、そうなじられ、おおあわてで「オール京都」は、事をおさめるよう奔走した。対応に苦慮し、彼らがあくせくするようすを聞き、私はあきれている。

東京への出張を「東下り」と言いつのるふだんの強気は、どこへいったのか。霞が関の意向にきゅうきゅうとする。ふりまわされる。そんな動揺ぶりを知らされ、誰が千年の都らしい高邁《こうまい》さを感じるだろう。感想をもとめられ、私は地元の新聞に、今のべたようなコメントをよせている。

あるいは、つぎのような考えを披露したこともあった。京都はごたいそうな町である。千年の都という自負心を、ことあるごとにひけらかしてきた。だったら、このぐらいの見栄ははってもらいたいものである、と。

東京の中央政府は、どうしても文化庁を京都へもっていきたいという。べつに、そんなものはいらないが、東京もてあましているらしい。文化庁じしんも、京都へきたがっている。しようがない。ひきとってやることにしよう。市民のみなさん、われわれも、うけいれる方向で、話をすすめます……。

じっさいには、そんなことを地方行政機関の担当者が言えるわけもない。私の発言は、無責任な揶揄の文句として、うけとめられたろう。

私は、いわゆる著述家のひとりである。講演会でおしゃべりをすることも、ときどきある。文化庁の京都移転が最終的に決定し、しばらくたってからのことであった。京都市の職員も、ちらほらくるような会で、私は講師のつとめをはたしたことがある。

何を話したのかは、もうおぼえていない。だが、終了後の懇親会で市のさる方からつげられた言葉は、はっきり脳裏へきざまれた。

――井上さん、以前、京都市が東京にぺこぺこしていると、からかっていましたよね。でも、もう文化庁が京都へくることは、きまりました。今は、東京にたいしても、けっこうえらそうにふるまっていますよ。

一字一句、このとおりだったとは言わない。しかし、あらまし、今のべたようなことを、私は聞かされた。このごろは、東京にむかっても、いばっている、と。

日頃の自尊ぶりを、このさい反省するというのではない。一時はひかえたが、もういつもどおり高飛車にでていると、くだんの職員は言う。移転決定前の身をかがめた追従《ついしょう》ぶりは一時的な偽装、方便であったということか。

さいきんは、高圧的にふるまうこともあるという。その内実を、私はたずねなかった。また、彼も私につたえていない。懇親の席では、問わず語られずという状態のまま、やりすごした。京都側の、どこがどう尊大になっていったのかを、私はその時つきとめられていない。

しかし、このごろは思いあたる節がある。京都は地方じゃあない。文化庁の京都移転を地方創生事業とよぶのは、やめてくれ。地域創生事業へ、言い方をあらためてほしい。そんな要求で、京都側がつっぱってきた経緯を、さきにのべた。この姿勢こそが、彼の言う「今は……えらそう」の中身かもしれないな、と。

千年の都は、文化庁をゆずってもらうために、さまざまな屈辱をなめさせられた。そのさいに余儀なくされた心の痛手が、名称変更への意欲をささえている可能性はある。せめて、地方よばわりだけは、かんべんしてほしいというように。「地域」という言葉は、移転交渉でできた傷の、そのカサブタだったのかもしれない。

――白羽の矢をたてられて

国宝や重要文化財などは、近畿地方にたくさんある。京都や奈良の古い寺に、多くが保存されている。いっぱんには、そう思われているかもしれない。

文化庁を京都でひきとりたがった京都側も、そのことを力説した。文化庁は文化財行政もあつかう官庁である。ならば、京都へ拠点をおいたほうが、仕事は円滑にすすめやすくなる、と。

しかし、じっさいには国宝も重文も、けっこう東京にあつめられている。明治以後の文化財政策は、多くの文化財を首都へ移管させた。もとは近畿にあった美術品なども、その例にもれない。今はけっこう、東京で保管されるようになっている。近畿の寺で見かけるものは、複製品である場合が少なくない。

だいじなものは、手近なところにおいておこう。首都へうつしたほうが、維持管理はしやすくなる。そんな中央政府の思惑もあり、名品の数かずは、意外なほど東京に集積されてきた。

ただし、建築の場合は事情がちがう。国宝や重文の指定をうけた建造物は、今でも近畿に多くたっている。理由ははっきりしている。絵画や彫刻の場合とちがい、建物はたやすく東京へはこべない。貴重な建築であっても、現地で保存せざるをえないからである。

とはいえ、建築以外の文化財や古美術が、多く東京におかれていることは、いなめない。だから、文化庁側も京都への同庁移転には反対した。国宝や重文は、少なからず東京の博物館などに寄託されている。文化財行政も、東京にそのままとどまったほうがやりやすいのだ、と。

また、文化庁は同庁の仕事が文化財方面にかぎらないことも、うったえた。現代的な文化政策、たとえば著作権の問題などにもかかわっている。芸術祭をはじめとする催しでも、はたらいてきた。そういう仕事の内容を考えれば、東京からは、はなれないほうがいいというのである。

京都市と文化庁のあいだでは、京都への誘致をめぐるかけひきが、しばらくつづけられた。かたほうが京都の利点をあげれば、もういっぽうは東京の良さをとなえる。ああ言えばこう言う。そんなやりとりが、くりかえされた。

それらの報道に目をとおし、私は思ったものである。文化庁は東京からはなれたがっていない。なにがなんでも、首都にしがみつこうとしている。京都へうつりたいというような志は、どこにもない。

口では、東京にいることの合理性を、あげている。しかし、本音はそんなところにない。ようするに、都落ちをしたくないのだ。京都への赴任を、文化庁の職員たちは、左遷のコースだととらえている。以上のように、私は見きわめた。

いっぽう、誘致へつきすすむ京都にたいしても、皮肉な感想はわいてくる。京都側は、東京にとどまりつづけたい文化庁を、よびよせようとしている。あちらに、その気はない。相手は東京に恋着している。それなのに、翻意をうながし、自分のほうが魅力的だと言いつづけてきた。片想《かたおも》いで、事実上ふられているくせに、横恋慕をおしとおそうとしている。そんな見取図が、脳裏にはうかんでくる。

幸か不幸か、京都には安倍政権という援軍があった。地方創生をとなえる権力が、京都の横車をあとおししたのである。その力にものを言わせ、京都はいやがる文化庁をうばうことができた。

文化庁がやってくるのは、京都に魅了されたせいじゃあない。けっきょくは、政治におしきられ、しぶしぶ東京をはなれることになったのである。あるいは、権力がかかげたうたい文句へとびついた京都に、屈したと言うべきか。

いずれにせよ、そうみっともいい図ではない。これが、千年の都だとうぬぼれる都市の、その今日的な姿なのだとかみしめる。

それにしても、文化庁の抵抗ぶりは、まことに印象的であった。

安倍政権では、各省庁のおもねり、いわゆる忖度《そんたく》が、しばしばとりざたされる。諸官庁が政権の思惑どおりにうごきすぎることを、メディアは批判的に論じてきた。

にもかかわらず、文化庁は政権の意向に、どうどうとさからっている。官邸は地方創生をすすめたいという。たとえば、文化庁を京都へうつしてはどうかと言いだした。だが、文化庁はそっぽをむきとおそうとする。最終的には屈伏したが、可能なかぎりあらがおうとしたのである。

忖度の度合いがきわだったのは、政権中枢に近い諸官庁であった。官邸をとりまく官僚たちは、へつらう機会も多かったと思う。

だが、文化庁は、比較的その磁場から遠いところにいた。とりまきの仲間にいれてもらえるケースも、少なかったろう。政権の方針に、まっこうからはむかえたのも、そのせいではなかったか。

安倍政権は、地方創生を言いだしている。霞が関に集中している官庁の地方分散も、となえていた。地方を活性化させるためなら、そこまでふみきってもいいというふうに。

しかし、財務省や外務省にまで、都落ちを強いるつもりはなかったろう。内閣の本丸をになう重要な省庁は、東京へとどめておきたかったはずである。あの官庁なら、地方へゆずってもいい。そうにらまれたのは、さほど大切だとみなされなかったところにかぎられよう。

じじつ、当初は特許庁や観光庁あたりも、地方移転の候補にあがっていた。さきほどは消費者庁の件を紹介したが、中小企業庁の転出も話題になっていたと記憶する。

いずれにせよ、白羽の矢がたてられたのは、軽く見られた役所に限定された。文化庁をはじめ、地方へうつしても実害は小さいと判断されたところだけなのである。首都の外へだしてもかまわないと、当時の政権から見きわめられたのは。あるいは、見はなされたのは。

都落ちのリストにあげられた省庁の数は、さほど多くない。その少数候補に、文化庁は当初から入っていた。のみならず、それらのなかから、先頭をきって地方おくりがきめられている。文化庁の職員も、そのことではくやしく思ったろう。自分たちは、そこまで政権からみくびられているのか、と。

地方創生事業の先陣をきることができて光栄だとは、まず思っていまい。政権からは、生《い》け贄《にえ》の第一号にえらばれ、うらんでいるだろう。しかも、霞が関を追放されるのは、自分たちだけになりそうなのである。なぜ、うちだけがという怨念《おんねん》は、そうとうふくらんでいるだろう。

そんな役所が、いずれは京都で開設されることになる。千年の都と言いつづけてきた街は、都落ち気分の官僚を、どううけいれるのか。今後の成り行きを、しずかに見まもりたいと思っている。

――菅原道真と「お受験」と

職場を東京の霞が関から、京都へうつされる。文化庁のたどるだろうそんな筋道を、私はここまで都落ちと評してきた。このとらえ方には、異論をさしはさむむきもあるだろうか。京都なら悪くもない。人気もある街だし、まあ御の字ではないか、と。

たしかに、観光客の評判は高い。京都の見所は、東京のテレビや雑誌も、よくとりあげる。文化庁の職員も、旅行で時おりおとずれるくらいなら、たのしめよう。

しかし、東京の霞が関で就職した官僚が、地方での勤務に納得しきれるだろうか。若いころは地方まわりをしても、最終的には東京の本省で出仕する。そんな希望が、彼らの場合は、はじめから封じられることになる。そもそも、本庁というすごろくの上がりが、東京ではない土地におかれてしまうのである。とうてい、彼らの意気は上がるまい。

平安時代の前半、一〇世紀初頭のことである。朝廷で要職をつとめた菅原道真《すがわらのみちざね》は、藤原氏のはかりごとで大宰府へ左遷《させん》された。権帥《ごんのそち》へ任じられ、二年後には現地でなくなっている。

そのうらみは、都へわざわいをもたらすかもしれないと、後にはおそれられた。そのため、都では道真を神格化し、天神としてあがめるようになる。いわゆる御霊《ごりょう》信仰のからくりが、作動した。地方へおいおとされた者の怨念は、それだけおびえられたのである。

しかし、大宰権帥なら、それほどひどい降格でもない。今の企業で言えば、筆頭格支社の支社長といったところではないか。栄転とまでは言えないような気もするが。

ただ、それでも都の人びとは、貴人たちもふくめあやぶんだ。京都から大宰府へいかされ、道真はいきどおっているにちがいない。第二の都と言ってもいい大宰府でさえ、うらみの種には、じゅうぶんなる、と。

彼らは、それだけ京都という都に価値をおいていた。京都からむりやりおいだされた者は、化けてでるかもしれないというように。

非業の死をとげた者は、しばしば怨霊になる。その強いうらみは、世にたたるかもしれない。だから、魂《たま》しずめをする必要がある。これが怨霊信仰の要諦だと、いっぱんにはみなされている。道真も、そのコースをたどった典型的な人物だと、これまでは位置づけられてきた。

だが、私はこの通説を、少しうたがっている。

ためしに、怨霊化したとされる歴史上の有名どころを、ならべてみよう。早良《さわら》親王、橘《たちばなの》逸勢《はやなり》、菅原道真、崇徳《すとく》上皇……。いずれも、非業と言っていい死をむかえている。しかし、このラインナップに、京都や奈良の都で死んだ者は、ひとりもいない。みな、地方へおいやられてから死んでいる。

平安京や平城京で憤死を余儀なくされた人物は、おおぜいいた。しかし、彼らの多くは怨霊になっていない。たたりがおそれられたのは、たいてい都を追放された後になくなった者たちである。

ひょっとしたら、非業の憤死じたいは、あまり怨霊化の契機にならないのかもしれない。むしろ、地方へながされた怨念のほうが、大きく見つもられてきたのではないか。大宰府へおいやられたんだって。さぞかしうらんでいるだろう。怨霊になったらこわいな。くわばらくわばら、というように。

都落ちこそが、怨霊をうみだす。それだけ、地方へとばされた者の屈辱は強いと、当時を生きた人びとはみなしてきた。今、私はこの線で日本史をながめなおす作業に、いくらか入れこんでいる。

そのせいで文化庁職員のいだくくやしさを、強く想像しすぎたかもしれない。彼らだって、中央政府をのろわんばかりの想いは、いだいているはずだ、と。このくだりは、私のフライングで、話が歴史へよりそいすぎたことをおそれる。

とはいえ、現代的な事情だけにかんがみても、彼らのいだく不満は大きいと思う。

霞が関の官僚たちは、がいして学歴が高い。子どもの教育にも、熱心な者は多かろう。文化庁の職員だって、その例外ではありえない。首都東京での「お受験」にも、はやくから心をくだいてきただろう。幼稚園までふくむ私学の名門へ、息子や娘をかよわす者も、少なくないと考える。

そんな家の両親は、子どもを田舎の、京都のことだが、学校へ転校させるだろうか。想像で書くが、なかなか、そういうふうにはしないだろう。あいかわらず、東京で通学をつづけさせるにちがいない。せっかく、はいれた東京の御名門なのだから。

職員の多くは、とりわけ男性の場合、単身赴任ということになりやすかろう。家族ごと京都へやってくる人たちは、あまりいないような気がする。妻は東京で夫の留守をまもり、子どもの勉学をささえていく。これが、ふつうの家族形態になるのではないか。

文化庁には、女性の職員もおおぜいつとめている。子をもつ母も、けっこういるだろう。そして、京都への転勤を余儀なくされた母は、子どもも京都へつれていきそうな気がする。彼らを東京へのこすふんぎりは、なかなかつくまい。けっきょく、京都の学校へ転入させるのではないか。

もちろん、家族でそろって、京都へ引っ越す者も、いないとは言わない。とにかく、子どもを京都の学校へ入れなおす家族も、あるていどはいると考える。数をくらべれば、夫だけの単身赴任というケースが多そうな気はするけれども。

京都の学校へかよいだした子どもたちは、やがて京都弁にもなじみだすだろう。彼らの口からも、それらしい口ぶりがとびだすかもしれない。そんな子女に、東京からきた母たちはなげくと思う。子どもがみょうな方言をおぼえてこまると、周囲に愚痴もこぼすだろう。そして、そんな母のなげき節を市中で耳にする機会は、おのずとふえていく。

ところで、京都弁という言葉を一部の京都至上主義者は、蛇蝎《だかつ》のようにきらっている。

こちらが京都弁と言うたびに、修正をせまられることもある。京都弁じゃあない、京言葉だ、そう言いかえなさい、と。

彼らは、京都風の語り口が方言としてあつかわれることに、たえられない。だから、京言葉という古風でみやびな用語にしがみつく。そのいっぽう、東京風の口調については、東京弁という言い方でかたづけやすい。

しかし、そんな京都至上主義者たちも、いやおうなく聞かされるのである。子女を京都の学校へ転入させた母たちが、しばしば口にする京都口調への嫌悪感を。

京都弁は不快だから、しゃべらないで。やめて、そんなおかしい言い方をするのは。以上のような母の物言いに接して、京都ファーストの人びとは、どう対応するのだろう。今から、その場にいあわせたいものだと、たのしみにしている。

いや、言葉の問題だけにとどまらない。東京からやってくる文化庁の職員たちは、そこかしこで公言するだろう。都落ちはつらい、と。これも、中華思想に生きる京都愛の人びとへ、聞かせてやりたいところである。

私は洛中の京都人たちに、ながらく一太刀《ひとたち》あびせたいと思ってきた。だから、文化庁が京都へくることを、心待ちにしている。彼らのふかせる東京風《かぜ》で、京都的な価値のぐらつく光景が見たくてならない。

そう、私は洛中へざまあみろと言えるのなら、東京と手をむすぶ気にもなっている。ああ、いけない。つい、悪魔とも握手をするかのような物言いに、なってしまった。東京の読者が気を悪くされたかもしれないことを、おそれる。

話をもどすが、文化庁の職員たちは、しぶしぶ京都へやってくる。単身赴任を余儀なくされ、つらく感じる人は多かろう。子どもの教育にも、たいていの人が不安をいだいていると思う。そんな人びとに、私は自分の私憤をはらす役目まで期待してしまった。まことに、もうしわけのないことである。ひとこと、おわびの言葉をのべそえたい。

二　京都にかえれば!?

――皇居は行在所

二〇一九年に、さきの天皇が退位した。長男の皇太子に、その位をゆずっている。周囲の意向もあってのことだろう。今は上皇となっている。

周知のように、この代替わりは天皇じしんの意思表明があって実現した。もう高齢のせいで、象徴としての仕事を、無事につづけていく自信がない。この位は、しかるべき後継者にひきついでもらったほうがいいと思う。そんな、いわゆる「お言葉」があって、事態はうごきだした。

退位後の天皇は上皇となる。それが、ひろく知られるようになったころであったと思う。京都の市長が、まもなくしりぞく天皇を京都へむかえたいと、言いだした。今後は、京都でくらしてもらいたいという声を、あげたのである。

京都生活へのひそかな打診が、先方からあったわけでは、ないだろう。余生は京都ですごしたいという要望が、事前につたえられていたとは、思えない。また、退位をひかえた天皇も、そのような希望はいだいていなかったろう。そもそも、「お言葉」には京都への言及じたいが、なかったはずである。

宮内庁も天皇も、退位後の京都暮らしという展望を、しめしてこなかった。にもかかわらず、京都市長はそれを歓迎すると言いだしている。これは、天皇の意向いかんにかかわらず、京都へきてほしいという声明にほかならない。忖度ぬきの一方的な期待が、京都側からはしめされたのである。

あれは、陛下にたいして失礼だったんじゃあないか。京都は、いったい自分たちのことを、何様だと思っているの。市長の発言は、世につたえられるやいなや、以上のような反応をひきおこした。どうやら、けっこう顰蹙《ひんしゅく》を買ったようである。

首都東京でも、同じような感想を、私はしばしば耳にした。陛下がそれをおのぞみならともかく、あんなことは言うもんじゃあない。出すぎた振る舞いは、つつしむべきである。少なからぬ人たちが、そんなふうに苦言を呈していた。

私はこれらの批判的な言葉を聞き、意外に感じたものである。

東京では、じゅうらいより、天皇家の京都帰還論が、けっこうささやかれていた。京都へかえったほうが政治とのかかわりもへるし、戦後憲法の天皇像にふさわしくなる。そんな声も首都では、ちらほら聞こえていたのである。

にもかかわらず、京都市長の京都隠棲論は、やや否定的にむかえられた。これは、いったいどういうことなのか。

文化庁の東京外転出、京都移転を悪く言う東京の人とは、あまりであったことがない。むしろ、文化庁なら京都にあってもいいという意見のほうが、多かったと思う。京都へでていくことに抵抗をしめしたのは、当の文化庁ぐらいであったろう。

文化庁なら、手ばなしてもおしくない。だが、上皇にさられるのはこまる。そんな尊王精神が、東京にもあるのだろうか。

天皇や皇室は、京都においたほうがいい。ふだんはそう言っている人も、話が現実的になれば、未練をかくさない。やはり、東京にひきとめておきたく思う。古い言い方だが、それだけ帝都という彼らのこだわりは強いのかもしれない。

さきの天皇は、退位の意思もにじませた「お言葉」を、テレビの画面で語っている。ゆっくり、ていねいに自身の願いを視聴者へつたえていた。ひとことひとことを、かみしめるように。これを画面で見つめた多くの善男善女は、思ったことだろう。ほんとうに、長いあいだごくろうさまでした。これからは、ゆっくりご静養下さい、と。

京都市長が京都への転地を言いだしたのは、それからまもないころであった。国民多数があたたかい気持ちを、あらためていだいたすぐあとに、声をあげたのである。

このタイミングは、京都にたいする全国の印象を悪くしただろう。好機到来とばかりに、上皇の京都誘致を揚言したような気配も、ただよったと思う。もう、しりぞきたいと言っている。そんな天皇を、京都という地方の思惑で、活用したがっているように見えたのではないか。

東京もふくめ、各地で反感をいだかれたのは、そのためだと思う。皇室の京都がえりを持論にしている人たちも、そのせいでいい感情がもてなかった。私は事態を、今のべたような見取図でとらえている。

しかし、それでも京都市長の発言には、わかるところがあると思ってきた。ああ言わざるをえなかったんだろうなと、私は同情的にながめてもいる。

京都には、今でも京都を都《みやこ》とみなす人たちがいる。天皇はほんらい京都にすむべきだと

京都御所の紫宸殿　左は霜除けの「防寒覆い」に入った右近の橘、右は左近の桜

公言する人だって、いなくはない。数こそ少ないが、そういう京都至上主義者は、しばしば彼らの自論を披露してもきた。

冗談を言っているのではない。たとえば、京都生まれの京都そだちを自負する梅棹忠夫《うめさおただお》（一九二〇～二〇一〇年）は、こんな文句をのこしている。「文化首都の理論」と題された講演（一九八三年）での指摘である。

「東京へ明治天皇がゆかれるときに、『ちょっといってくるよ』とおっしゃってゆかれたのだ、東京は行在所《あんざいしょ》（筆者註　仮の御所）にすぎない。これはふるい京都市民のひじょうにかたい信念でございます。日本の帝都はいまもなお京都なのであるというかんがえでございます」

もちろん、梅棹もこの考え方が非現実的であることは、わきまえていた。しかし、それでも、つぎのように言いつのることを、自制しきれない。

「もし、ただちに天皇が東京から京都にうつられるということがむつかしいといたしましても、せめて一年のうち半分ぐらいは、こちらでお暮らしいただくというようなことはできないのか」

上皇となったあかつきには、京都でくらしてほしい。そんな市長の発言が、まだ遠慮がちにひびく。梅棹は、現役の天皇にもどってこいと言う。それがかなわないのなら、半年ぐらいはこちらにいてほしいと、うったえる。

さきの天皇は、最後の公務として、各地をへめぐった。京都にもたちよっている。明治天皇陵や孝明天皇陵を、参拝のためにおとずれた。

そんな天皇の一行を見まもる沿道の人たちは、口ぐちに声をかけている。なかには、「かえってきて」という懇願もあった。私はテレビの画面で、そんな掛け声もあったことを、確認している。

市長の要望は、こういう町の声を代弁してもいただろう。市民のなかには天皇帰還待望論が、根強くのこっている。そんな町の想いを、言葉にだしてあらわさなければならないと、市民の代表者は考えた。ああいう発言をしぼりだしたのは、そのためだと思う。

市長じしんが、上皇の京都生活を本気でのぞんでいたかどうかは、わからない。私は、うけいれられないことを承知したうえでの発言だったと、にらんでいる。どうせ、京都にはきてくれないだろう。万が一、天皇がその気になったらたいへんだ。これからは、その準備でてんてこまいになる。あんがい、そうわりきっていたぐらいではなかったか。

アメリカのトランプ大統領は、しばしばキリスト教原理主義風の文句をはく。あれも、本気で言っているのかどうかは、わからない。ただ、いわゆる福音派のクリスチャンたちを、おもんぱかってはいるだろう。きたるべき選挙での票を、あてにして。

余生は京都でという物言いも、そういうものとして、理解をしておきたい。

——そこまでおいつめるな

今も都は京都であると、京都至上主義者たちは言う。「日本の帝都はいまもなお京都なのである」。梅棹忠夫は、さきに紹介した講演で、そう見得をきっていた。

彼らが、そこまで強気になれる拠《よ》り所は、ひとつしかない。遷都の勅令が、まだ正式には公表されていないという、この一点にかぎられる。梅棹も「文化首都の理論」で、のべている。「遷都令というものはまだ一ども出されていない」、と。

平城京から長岡京へ都をうつした時は、その勅令が交布された。長岡京をすてて、平安京へ移動した時も。しかし、東京を都にさだめるという天皇じしんの声明は、まだだれも聞いていない。

そこにこだわれば、まだ都は京都だと理屈をこねる余地もある。

天皇は、「ちょっといってくる」と言いおいて、東京へでかけた。以後、いわゆる皇居、千代田城でくらしだしている。しかし、そこを正式の御所ときめてはいない。百五十年以上にわたって、滞在してはいる。だが、それも臨時のすまい、「行在所」でしかありえない。梅棹は、以上のような認識をしめしていた。

屁理屈《へりくつ》のようにも、聞こえようか。それでも、いちおう筋はとおっている。梅棹をはじめとする京都至上主義者たちの空いばりも、全否定はしきれない。

私は前に『京都ぎらい』で、彼らの考えを批判した。朝廷は明治維新で、京都をすてている。もう、ながらく東京をパートナーとして、あちらにくらしてきた。それなのに、一部の京都人は、まだ離婚届がでていないと言いはる。本妻ないし正式の夫は自分だと、主張する。そういうみっともない真似《まね》は、やめてほしいものだ、と。

自分をすてたかつての連れ合いには、恋々とするな。見ぐるしい未練はのこさず、新しい人生を歩んでいこう。私は前著で、そのようにものべている。そして、今もこの考えに、変わりはない。まあ、私は京都人じゃあないので、こういうことに口をはさむ権利はないのだが。

一九二三年には、首都圏でたいへんな地震がおこっている。関東大地震である。多くの建物は倒壊し、また焼失した。おおぜいの人びとが、命をおとしている。

この時、東京では不穏な噂《うわさ》が、いくつもとびかった。なかには、天皇が東京からにげだすという風評も、あったらしい。人びとの不安をおさえるためだろう。当時の政府は、今後も東京が帝都であると布告した。言葉をかえれば、もう京都は帝都じゃないと、事実上言いきったのである。

正式な遷都の手続きは、まだふんでいない。だが、東京こそ帝都だと、地震のどさくさにまぎれ、ひろく知らせている。そして、そんな公示にふみきったのも、震災という混乱があったおかげである。あれがなければ、帝都としての東京像を、あからさまにはうちだしさなかったかもしれない。

『京都ぎらい』では書かなかったことを、あとひとつつけくわえる。私は以下のような理由でも、勅令の有無をふりかざす人たちには、なじめない。

戦後にできた新しい憲法は、いわゆる天皇大権を封印した。今の天皇は、政治的な力をうしなっている。勅令などはだせないような立場に、おかれているのである。

旧憲法下の天皇は、大権とよばれる権能をもっていた。議会の議決をへなくても、勅令を発することができたのである。そして、私はそんな法令のまかりとおった時代へかえりたいと、思わない。遷都うんぬんにかかわらず、天皇大権などありえない今日のほうがいいと、考える。

まだ、遷都の勅令はだされていない。だから、今でも京都は都でありつづける。そううそぶく人たちに、問いつめたい。あなたたちは、ほんとうに勅令や詔《みことのり》が発せられた時代へ、もどりたいのか、と。

彼らも、じつは知っている。現行憲法は勅令という制度を廃止した。そのことを、じゅうぶんわきまえている。知りぬいたうえで、ぬけぬけと揚言《ようげん》しているのである。遷都の勅令はまだでていないから、京都こそが都である、と。私はこういう論法を、ひきょうであり、またずるいと考える。

京都を都の座からひきずりおろしたいのなら、ちゃんと勅令をだせ。彼らは、勅令など発しようのない今日の政府にむかって、事実上そう言ってきた。相手ができもしないところを盾にとって、自分たちの正当化をはかっている。ずるいとみなすゆえんである。

それにしても、なぜ明治以後の東京政府は、遷都の勅令をだしてこなかったのだろう。もちろん、今はそれができない。しかし、維新後に都の移動を天皇が宣言することは、可能だったはずである。あるいは、大日本帝国憲法の制定後に、おくればせながら公布することも。

にもかかわらず、東京新政府はそれらしい段取りをふもうとしなかった。都を事実上東京へうつしただけに、とどめている。勅令や詔勅という水準では、その手続きをおこたった。まあ、関東大地震の直後には、東京が帝都だと言ってしまったのだけれども。

維新で天皇が江戸＝東京への行幸にふみきった時、京都の町衆は大きく動揺した。皇后の東行が決定した時は、直接的な抗議行動もおこしている。町旗をかかげた町組の代表者たちが、おおぜい御所へつめかけた。

東京側にも、朝廷を京都からうばいとってしまったという想いは、あっただろう。ひきぬかれた京都が、おだやかならざる気配につつまれたことも、わかっていた。その点では、京都にもうしわけなく感じてもいたろうか。とりわけ、天皇に同行し、京都をすてた宮廷人、公家たちは。

どちらが朝廷を手中におさめるか。この争いに勝ったのは東京である。京都は敗者であった。そんな敗者に、勝者は気をつかったのだろう。じっさいは、都になりおおせた。そんな新都が旧都をおもんぱかり、はでな遷都の宣言をひかえたのではなかったか。

実《じつ》はとったのだから、名はあいまいなままにしておこう。都という名前まで、公的に東京が独占するのはまずい。京都を、より深い絶望へおいこんでしまう。そんな気配りが、勅令の発布をためらわせたのではないか。

まだ、勅令はでていない。今日なお、京都は都である。こういう京都至上主義者の主張は、今のべた東京側の配慮につけこんでいる。勝者が勝利のゆとりで、都の名まで敗者からうばうのは、思いとどまった。その気遣いに甘えたうったえだと、私は考える。

維新が成就したあともなお、政府にとって京都はとくべつな街でありつづけた。ほかの街にたいするのとはちがう配慮を、東京の政権は見せている。

皇室からの御下賜金も、京都はよそより多く手に入れた。離婚届の比喩をくりかえせば、多額の慰謝料や養育費をもらっている。今風に言えば、ほかより地方交付金の額では、めぐまれていたはずである。

それらは、京都の近代化を、側面からささえもしただろう。新時代の京都を語るさいにも、経済的な自立支援のになった役割は、あなどれまい。

いっぽんには、町衆のエネルギーが京都の衰微をおしとどめたと、よく言われる。京都の近代は町衆たちに、になわれたと力強く語るのがふつうである。だからこそ、ここでは中央からよせられた同情のほうを、強調しておきたい。京都をすてた政府の資金援助がなければ、回復には、もう少し手間がかかったと思う。

――まる、たけ、えびす……

話をかえる。少し迂回《うかい》をして、その後にもとへもどりたい。

『京都ぎらい』という本で、私は洛中と洛外の区分を、大きくえがいて見せた。洛中を生きる人びとはプライドが高く、周囲の洛外を見下している。右京区や左京区、そして山科区や伏見区などのことは、同じ京都と思っていない。その違いをわきまえさせることにも、強いこだわりをもっている、と。

読んでくれた方がた、とくに他府県の人びとから、よくたずねられた。京都が洛中と洛外にわけられることは、よくわかる。しかし、その境界線がどうなっているのかは、のみこめない。いったい、両者をわける線は、どこにどうひかれているのか、と。

おおよその区分線が、私にえがけないわけではない。地図の上に図示する手も、あったかと思う。だが、この問題には、線引きをしても、かたづかないところがある。

たとえば、私は下京区の西七条にすむ人から、つげられた。洛中と洛外の区分けには、デリケートなところがある。かんたんには語れない、と。

ちなみに、西七条は西大路七条の東側にひろがる一帯をさす。一部、その西側もふくむが、おおむね東側をしめている。京都鉄道博物館から二百メートルほど西へすすんだあたりが、その東南端となる。

東側のエリアは、旧市電の外周線、つまり西大路通より京都の内側に位置している。その意味では、洛中とみなしうる。しかし、ここは豊臣秀吉がもうけた城壁、いわゆる「御《お》土居《どい》」の外側にはみだしてもいる。そこへこだわれば、洛外と言われかねない場所になる。そのあいまいさが、住み手をとまどわせるのだろう。くだんの京都人は、こうぼやく。

「うちなんか、かろうじて洛中というエリアですよ。そうえらそうに、洛中風《かぜ》をふかせられるところじゃあ、ありません。祇園祭の旦那がたがあつまるようなところで、私も洛中だ、とは言えないですよ。井上さんは、嵯峨でしょ。洛外って、はっきりしてるやないですか。洛中やのに洛中って言いきりにくい私たちは、べつの葛藤をかかえているんですよ」

洛中でくらす人びとのなかにも、この問題で自意識のとりことなる者はいる。そう言えば、上京区の出町《でまち》あたりからも、同じような声は聞こえてくる。洛中ではあるが、微妙な

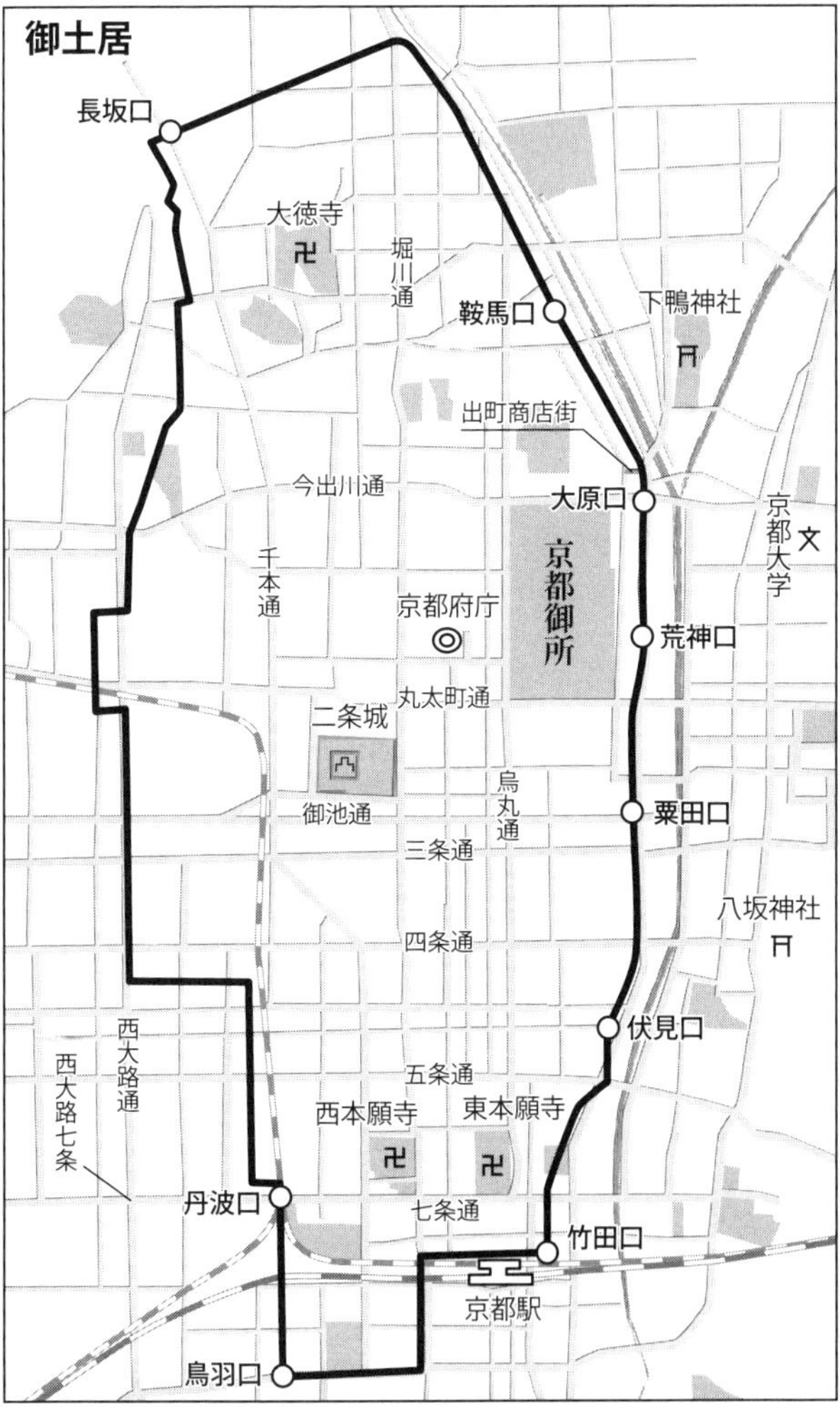

御土居
長坂口
大徳寺
堀川通
鞍馬口
下鴨神社
出町商店街
今出川通
大原口
京都大学
千本通
京都府庁
京都御所
荒神口
丸太町通
二条城
烏丸通
御池通
粟田口
三条通
八坂神社
四条通
伏見口
西大路通
西大路七条
五条通
西本願寺
東本願寺
丹波口
七条通
竹田口
京都駅
鳥羽口

ところだ、と。ついでにしるすが、出町はここから町をでる、町の出口だというふくみのある地名である。

西七条の住民は、祇園祭をとりおこなう町衆の前で、洛中ずまいを自称しづらい。そう聞かされ、私は以前に杉本秀太郎《ひでたろう》（一九三一〜二〇一五年）とかわしたやりとりを、思いだした。

杉本はフランス文学者だが、祇園祭をささえる旦那のひとりでもある。四条通のすぐ南をとおる綾小路通《あやのこうじどおり》ぞいの大邸宅で、くらしてきた。以前は国際日本文化研究センターの教授で、私の上司だったこともある。その杉本に、私は職場で洛中の範囲をたずねている。こんなふうに。

――杉本さんは『洛中生息』という本もお書きですよね。その洛中ですが、どこからどこまでをさしたはるんですか。

「そら、やっぱり祇園祭をやるところやね。山や鉾をだすところが、ほんまの洛中、京都ということになるんやないかな」

――つまり、北の端は姉小路《あね》通で、南は松原通までということですか。

「いや、そんなせまい範囲にかぎるつもりはない。北と南で言うたら、御池《おいけ》通から五条通までは洛中に入れてもええやろ」

北の限界は、私の問うた姉小路通の、その一筋北側をはしる御池通であると言う。南の端は、私のあげた松原通より二筋南をとおる五条通だと、こたえてくれた。杉本の考える洛中は、せまい意味での祇園祭区域より、三筋分だけひろくなっている。

いずれにしろ、西七条はその範囲にはいらない。杉本は、五条より南を、もちろん七条も、京都の外側だと考える。祇園祭の旦那がたがいるところだと、自分たちも洛中だとは言いづらい。西七条の住民が、そうひっこみじあんになってしまうのも、よくわかる。

くりかえすが、私は西七条の住民から話を聞き、杉本談話をふりかえった。そのついでに、あらためて、もうひとり、Sという人からも話を聞いている。Sは室町《むろまち》通の住民である。やはり、祇園祭とかかわる旦那のひとりにほかならない。

――ずいぶん前に、杉本秀太郎さんから洛中の範囲をうかがいました。杉本さんは、御池通から五条通までを南北の限界やと、言わはるんですよ。どう思わはります。

「杉本さん、そんなふうに言わはったん？　そら、ちょっと了見《りょうけん》がせまいんちゃうか。

二条通あたりには、祇園さんの氏子が、けっこういはるしな。あのあたりまでは、洛中とみとめてもええやろ」

――御池通より二筋北側の二条通までは、京都やとおっしゃるんですね。

「いや、もう少しひろう考えても、かまへん。丸太町通くらいまでは洛中、京都やと言《ゆ》うてええんやないか」

――杉本さんよりは、寛大に考えたはるんですね。

「それでもな、丸太町通より北側を京都やと思うたことはあらへん。あっちは、もうべつの町や」

杉本は、京都の北限を御池通に想定する。Sは、やや拡大して、御池通の五筋北にある丸太町通を、北の境だと言う。どちらにせよ、その範囲は丸太町通までしか、とどかない。

Sは、杉本の洛中観を「了見がせまい」とからかう。しかし、そのSも、「丸太町通より北側」は、京都じゃないと言いきる。私のような洛外者から見れば、どちらも「了見がせまい」点では、かわらない。祇園祭の町衆は、それだけの選民意識をいだいている。自分たちの地域こそが、選ばれた洛中だ、と。

東西の洛中の通
京都御所
丸太町通
竹屋町通
夷川通
寺町通
河原町通
烏丸通
二条通
押小路通
御池通
姉小路通
鴨川
三条通
六角通
蛸薬師通
錦小路通
四条通
綾小路通
仏光寺通
高辻通
松原通
万寿寺通
五条通

話を本題にもどす。京都と天皇を、ふたたび論じたい。

Sは洛中の北限を、丸太町通だと言う。御池通を境界線に見たてる杉本も、とうぜん丸太町通より北を洛中だと考えない。こう聞かされると、京都に少しでも関心のある人なら、すぐピンとくるだろう。

彼らが北の境だとみなす丸太町通の、その北側に何があるか。あらためて、説明をするまでもないだろう。丸太町通の北側には、この通りへ面して、京都御所がひろがっているのである。

杉本もSも、だからこう言っていることになる。京都御所のある場所は、洛中に入らない。かつて天皇や公家たちがくらした宮廷は、洛外にある。京都からはずれたところに、位置している。祇園祭の旦那たちは、事実上そうきめつけているのである。

いっぱんに、京都人は尊王的だと言われている。いつかは天皇も京都へもどってくるはずだと信じ、期待をよせつづけてきた。それだけ、天皇には親近感をいだいていると、多くの京都を論じた本が書いている。

そう言えば、梅棹忠夫もとなえていた。天皇は、ほんらい京都でくらすべきなんだ、と。

天皇の京都居住をねがう人びとは、おのずと考えているだろう。かつての王宮である御所こそ、将来天皇がすまうところにふさわしい、と。

今の東京にある宮内庁は、京都御所を高御座《たかみくら》の倉庫としてしか見ていまい。即位礼の時だけ東京へはこべばいい玉座の保管場所だと、思っているだろう。換言すれば、すまいではない、と。だが、京都側は御所以外の住居を、なかなか想いえがきにくい。

にもかかわらず、祇園祭のにない手たちは、その御所と距離をとる。あそこは洛外、京都の外側だと公言して、はばからない。いったい、彼らの尊王精神はどうなっているのだろうか。

京都の人たちは、街の地理を通りの名前で把握する。たとえば、京都新聞社の位置も、烏丸通《からすまどおり》夷川上《えびすがわあが》ルというふうにおぼえこむ。烏丸通と夷川通が交差をする、そのやや北側（上ル）にある新聞社だ、と。

通りの名をはぶいたしかるべき町名も、ないわけではない。ふたたび例にあげるが、京都新聞社は少将井町《しょうしょういちょう》に立地してもいる。その二三九番地ということになる。

だが、そういう町名と番地で同社の場所を脳裏へうかべる人は、ほとんどいない。タクシーにのって行き先をつげる時も、烏丸通夷川ですませるのが、ふつうである。まあ、京都新聞の場合は、社名を言うだけで、つれていってもらえそうな気もするが。

通りのまじわりで、地理を理解する。そういう生活をおくるためには、通りの名をおぼえておかなければならない。そして、京都には、それを記憶させるための唄がある。通りの名を脳裏へやきつけるための童歌《わらべうた》に、人びとはしたしんできた。洛外者の私でさえ口ずさめるそれは、東西方向の通りを北から順に、こううたいこむ。

丸《まる》竹《たけ》夷《えびす》二《に》押《おし》御《お》池《いけ》
姉《あね》三《さん》六角《ろっかく》蛸《たこ》錦《にしき》
四《し》綾《あや》仏《ぶっ》高《たか》松《まつ》万《まん》五条《ごじょう》……

丸太町、竹屋町、夷川……という順番に、京都では通りがならんでいる。北から南へと、ほぼ平行に配置されている（59ページの地図参照）。これは、その道路名を、言ってみれば漢字の頭文字でつらねた唄にほかならない。

京都人は、おさないころからこれをうたわされ、頭へたたきこまれている。彼らが、通りの名だけで地理を想いえがけるのは、そのためである。

はやくも江戸時代に、この唄はできていた。もう二、三百年にもわたり、うたいつがれている。それだけ、街の人びとにもなじまれているということか。

ここで注目したいのは、歌い出しが「丸」、つまり丸太町になっている点である。言葉をかえれば、御所より南側の通りだけが、この唄では紹介されている。丸太町より北の下《しも》立売《だちうり》通や中立売《なかだちうり》通は、うたわれていない。埒外《らちがい》におかれている。

街の構図は、丸太町より南側さえおぼえれば、ことたりる。この唄は、そんな地理観でできている。洛中の範囲は、丸太町の南側までしかとどかない。祇園祭の旦那たちがいだくそんな京都像と、この唄からうかがえるそれは、つうじあう。

どうやら、御所の南側、丸太町通には、見えない壁がひそんでいるらしい。そこを境として、趣のことなる街がむきあっているようである。

祇園祭を生きる人たちの天皇観は、そのことをもふまえて、検討しなおしたい。

――子どものときからくりかえし

ここまで、私は京都御所という言葉をつかってきた。西は烏丸通にはじまり、そこから七百メートルほどはなれた寺町通で、東の端になる。南北方向は今出川通から丸太町通まで、千三百メートルにおよぶひろがりをもつ。今は都市公園としても、部分的に生かされているこの区画を、京都御所とよんできた。

一般的な通称にしたがったのだが、しかしこの呼称には不正確なところもある。御所という言葉は天皇と皇后がくらした宮殿を、ほんらいさしている。

今、いっぱんに御所と称される、その全域で天皇と皇后が生活をおくったわけではない。彼らがすんでいたのは、その一部分にかぎられる。具体的には、清涼殿や紫宸殿《ししんでん》、皇后宮常御殿《こうごうぐうつねごてん》などをかこむ一角が、その範囲となる。管理をする宮内庁京都事務所が、京都御所という名をあたえているのは、そこだけである。

あと、退位した天皇、上皇のくらす仙洞《せんとう》御所も、御所のひとつだと言えるだろう。皇后をしりぞいた皇太后や太皇太后のすまう大宮御所も、同じ範疇《はんちゅう》にくくりうる。そして、狭義の御所は、その三つにかぎられる。

御所といっぱんに通称される区画は、それ以外の部分もふくんでいる。公園として利用される場所まであわせて、そうよぶようになってきた。ただし、宮内庁京都事務所は、その全体を京都御苑と名づけている。

公園の多くは緑地化された。今は市民の散策する場になっている。しかし、いわゆる東京奠都《てんと》のころまでは、多数の家屋敷があたりをおおっていた。ここは天皇につかえる宮廷人、公家たちの集住するエリアだったのである。

もちろん、すべての公家住居が、今の御苑内におさまっていたわけではない。苑外の東側へも、その枠をこえ、鴨川の東岸あたりまで、公家のすまいはおよんでいた。西側だと、西洞院《にしのとういん》通ぐらいまで、彼らの居住地はひろがっている。言いかえれば、西陣の手前まで。

今、御苑を中心に、公家街が東西へのびていたようすをふりかえった。じつは、その北側にも、けっこう公家屋敷があふれだしている。にもかかわらず、南側にはほとんどたっていない。公家のいとなむ家屋は、その大半が、丸太町通の北側にできていた。

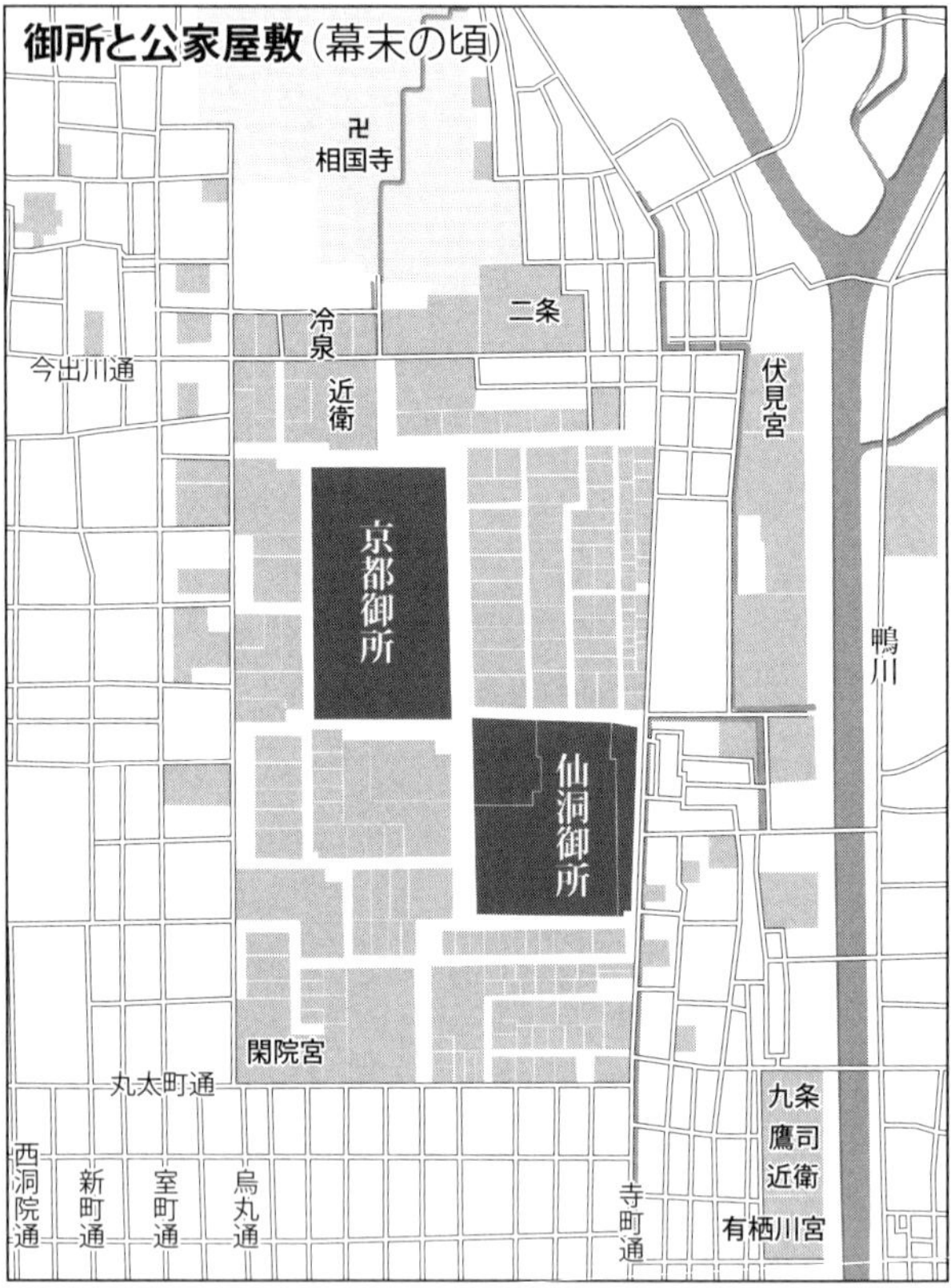

御所と公家屋敷（幕末の頃）

例外は、鴨川ぞいに丸太町通のすぐ南へ、ならんでたてられた四軒だけだろう。ここには、北から九条《くじょう》、鷹司《たかつかさ》、近衛《このえ》、有栖川宮《ありすがわのみや》の四家が、軒をつらねていた。いずれも、本宅ならぬ別棟である。そして、ここ以外に、丸太町通の南へ、公家地がふくらんでいったところはない。

ようするに、丸太町通の北側は公家町だったのである。御所を中心に、公家たちが北側と東西に館をかまえている。南側の町衆が気づまりに感じる、近よるのをややはばかるエリアだったのだろう。もちろん、その北側にも、職人や町人のすまい、そして大名屋敷は混在していたが。

祇園祭にたずさわるSは、丸太町通より北側を、べつの町だという。こういう発言も、江戸期からつづくすみわけの伝統に、ねざしているのだろう。こちらは町方《まちかた》、あちらは公家地という区分意識が、根っこにはあるのだと思う。まあ、もう丸太町通以北の旧公家屋敷は、冷泉家《れいぜいけ》のそれしかのこっていないのだが。

周知のように、明治維新で、ほとんどの公家は東京へうつっている。長年なじんだ京都を、あとにした。そして、彼らの大半は新しい皇居の北側と西側を、居住地にえらんでいる。神田、飯田橋、富士見、九段、番町《ばんちょう》といったあたりである。京都にいた時と同じで、天皇のそばをはなれようとはしなかった。

また、彼らは皇居の東南にひろがる海側を、町方の居住地だとみなしていたらしい。そのうえで、皇居をはさんだ反対側、いわゆる山手にすみついたのである。

そう言えば、新政権は皇居の東南に位置する銀座で、商店街の拡充をおしすすめた。同じ方向の、より海に近い築地を、外国人の居留地として指定している。

町方の居住地と自分たちのすまうところを、京都では南と北にわけて考えた。どうやら、そんな京都流を、東南と西北にかえて東京へももちこんでいたらしい。その意味では、京都でつちかった価値観をすてていなかった。京都そのものは、おきざりにしたかもしれないが。

話を幕末期までの京都にもどす。こんどは公家地でなく、南側の町方をふりかえってみたい。

くりかえすが、Sは言っていた。二条通のあたりまでは祇園社の氏子がおおぜいいる。祇園祭をとりおこなうエリアとも、つうじあう。同じ洛中にぞくする地域である、と。

その二条通は、江戸期の京都を代表する目抜き通りのひとつであった。周知のように、江戸幕府は京都における拠点として、二条城をたてている。そのさいに、城造りの軸線は二条通へあわせていた。この城は、二条通からながめた時にいちばんはえるよう、形がととのえられている。

さらに、二条城のまわりは、幕府の行政庁舎がかこっていた。所司代や奉行所の施設などが、あつめられている。京都を管理するそんな役所の、二条通は門前街めいた通りになっていた。

そこから四筋、南へゆけば三条通がとおっている。この通りは東海道と、三条大橋で直接むすばれていた。江戸期における、経済の大動脈である。もちろん、政治の焦点となる二条城からも、アクセスはたやすい。

そして、三条通は祇園祭がくりひろげられる檜舞台《ひのきぶたい》のひとつでもあった。祇園祭の町衆たちは、幕府権力とも近いところで、くらしていたのである。

幕末期の彼らが幕府寄りであったというようなことを、言いたいわけではない。京都の大商人たちも、最終的には朝廷側へ加担する途を、えらんでいる。けっきょくは、幕府を見かぎった。

しかし、北の公家地ほどには、朝廷との一体感をいだいていなかったと考える。天皇や公家の東京移住にうろたえる度合いも、くらべれば弱かったような気がする。

二条通や三条通を中心とする街区の商人たちには、大名との取引もあったろう。幕府じたいとのつきあいも、丸太町通より北にいた商人より、深かったにちがいない。もちろん、彼らも御所が空き家となったことを、せつなく感じたろう。だが、二条城の空洞化も、同じようにざんねんがったはずである。

天皇は、いつか京都へかえってくるだろう。いや、かえってきてほしい。そんな想いにとらわれる人びとも、やはり丸太町通以北のほうが多いのではないか。そこより南に、尊王家がいないとは言わない。しかし、天皇にたいする喪失感は、やはり北側のほうが大きかったろう。

文化人類学者の梅棹忠夫は、天皇の京都帰還をうったえた。その梅棹に、こんな講演の記録もある。

「わたしどもは、いまでも京都は首都であると信じております。子どものときからくりかえしきかされた話でございますが、京都は旧都でなく現に首都である。……今日まで遷都令というのはでておりませんので、いまでも天皇は京都にいらっしゃるはずになっております」（『京都の精神』一九八〇年）

京都は、今なお首都である。そう「子どものときからくりかえしきかされた」のだという。梅棹は、西陣で生まれ、そだっていた。そして、西陣の梅棹家では、天皇を京都のものだと、子どもに言い聞かせてきたらしい。

こういう情操教育が、京都にまんべんなく普及していたのかどうか。私はよく知らないが、ややうたがわしく思っている。京都のなかでも、丸太町以北に特徴的な言い伝えではなかろうか。くりかえすが、西陣は昔の公家集住地帯に、その西側へ隣接してひろがるエリアである。

――タペストリーにさそわれて

祇園祭の山や鉾《ほこ》では、舶来のタペストリーを見かける。ヨーロッパの綴織《つづれおり》を、あちこちでながめることができる。

なかでも、ベルギー製のものは、おしなべて製作年代が古い。一六世紀にまで、さかのぼれる。日本史へあてはめれば、戦国時代から安土桃山時代にかけての製品ということになる。

京都の商人たちは、そのころから南蛮世界ともわたりあってきた。ポルトガル商船のもちこむタペストリーを、交易中に入手することもあったろう。祇園祭は、そういった品じなを、街の人たちに見せてきた……。

と、以上のようにうけとめている人は、多かろう。私も長いあいだ、そう思いこんできた。あれらは、南蛮時代の国際性を、今日にまでつたえる遺品なのだ、と。

しかし、年をへて勉強の機会にめぐまれ、私はその誤りに気づいている。あれを、一六世紀の南蛮時代に、京都の商人は手わたされていない。彼らが所有するようになったのはもっと後、江戸時代になってからである、と。

舶来の綴織は、一七世紀以後にオランダ人が、日本へもちこんでいた。徳川将軍への貢物として。その一部は、贈答品として加賀の前田家をはじめとする大名にも、とどけられている。また、京都の有力商人にも、下げわたされた。

まだ、大阪の豪商が、京都の商家を経済力で上まわる前のころである。幕府は、おもに京都の商人たちから、借金をかさねてきた。その返済がとどこおった時に、舶来の貢物を債権者へあたえることはあったらしい。ベルギー産のタペストリーも、負債の形《かた》になったという。

江戸時代の大商人たちは、幕府や大名に巨額の資金をかしあたえた。そして、時おりふみたおされている。ひどい話だなと思われようか。しかし、そのころには法人税という税法の仕組みが、まだできていなかった。いくらかの大名貸しと、貸し倒れは、商人のほうでも覚悟をしていたろう。今の大企業が法人税を、しぶしぶはらっているように。

いずれにせよ、京都の商人たちは、返済のかわりに舶来の綴織を獲得した。祇園祭には、そういう抵当物件を誇示したのだと思う。幕府から、これだけのものをわたされたとほこる気持ちに、彼らはなっていただろう。

タペストリーは、一種の経済的な戦利品でもあった。商人は、それを見せびらかしてもいたのである。彼らは、彼らなりに、「やあやあわれこそは」という想いも、いだいてい

御池通に結集した後祭の山鉾　2019年

ただろう。祇園祭は、そういう自己顕示欲を解放させる催しでもあったということか。

幕末期には、幕府が海防対策へのりだしている。商人からの金銭的な取り立てには、拍車がかけられた。京都や大阪の豪商が幕府を見かぎったのは、そのためである。

維新がなったその後でも、祇園祭はつづけられている。幕府との取引があったことを物語る綴織も、展示されてきた。祇園祭の町衆は、幕府とのかかわりがしのべる遺品を、今なお誇示する。あいかわらず、ほこらしげに。

丸太町通の北側は、朝廷や公家らが京都からいなくなったことを、なげいてきた。だが、南側の町衆には、二条城を拠点とする幕府の瓦解もまた、落胆の対象となっている。宮廷の東京流出だけに、失望していたわけではない。その差が、両地区にことなる皇室観をもたらしたと、とりあえず私は説明してきた。

この推論には、祇園祭で公開されるタペストリーも、一役買っている。幕府とのつきあいもあった時代が、幕府崩壊後もかえりみられつづけてきた。そう見きわめたうえで、あの祭礼に旧幕時代への懐旧精神も、読みとっている。

判断が拙速にすぎたかもしれない。しかし、祇園祭がえいえいといとなまれてきたことは、やはりあなどれないと考える。

ひょっとしたら、丸太町通の南側でも、天皇の東京転出はなげかれたかもしれない。北側と同じように、がっかりされた可能性はある。彼らが旧幕府へも想いをよせたろうという想像に、私は自信をもちきれていない。

それでも、南側の町衆に、祇園祭がのこされたことは重要だと考える。これを執行することで、彼らは町の一体感を、たもちえた。朝廷の流出がもたらしたかもしれない痛手は、おかげでうすらいだろう。

天皇は、いつかかえってくるにちがいない。東京へは、一時的に出むいただけだ。まもなく、京都へもどってくる。そう念じつづけたがる心理的な条件も、よほど弱まったろう。朝廷の不在がもたらす空虚感は、祇園祭の継承が解消したと考える。もし、南側の町衆に、朝廷へのノスタルジーが、そこそこあったのだとしても。

御所のある丸太町通の北側は、自分たちのなじんだ京都じゃあない。べつの町だ。そう言いきれる町衆がいることも、じゅうぶんうなずける。

町のまとまりなら、祇園祭がその象徴的な役目を、じゅうぶんになってくれる。朝廷のそれには、期待をする必要がない。東京奠都で喪失感があった人びとも、そう言いきかせてきたのではないか。

いっぽう、御所のある北側は、大きな虚無感におそわれただろう。幕末におこった蛤《はまぐり》御門《ごもん》の変で、街は焼きつくされた。まあ、南側もけっこう類焼しているが。さあ、これから復興という時、朝廷は東京に拉致される。街のそこかしこでくらしていた公家も、いっせいにあちらへにげだした。人びとの絶望は大きかったと思う。

もとより、北の中心は、朝廷と公家がいたところである。そんなエリアだからこそ、例の天皇物語は派生したのだと思う。いつか、かえってくるはずだという、梅棹忠夫も語りつぐ伝承が。

祇園祭のような、町の総力をかたむける何かが、南とちがって見つくろえない。だから、どうしても、かつての精神的な紐帯《ちゅうたい》の回復を、のぞんでしまう。かえってきて、と。それだけ、街のあじわった虚脱感は大きいということか。

三　京都の名だけは

――世界の京都

アメリカのボストンに、かつて「キョート・レストラン」という焼肉の店があった。今は、もうない。四年ほど前にボストンをおとずれたが、なくなっていた。

アメリカのレストランには、誕生日の客をもてはやすところがある。従業員がその客をかこみ、「ハッピー・バースデー」を合唱して、いわう。そんなサービスが、日常的にくりひろげられる飲食店を、まま見かける。

「キョート」を名のるボストンの店も、その一例にあげられる。ここも、誕生日にきた客を、けっこう手あつくもてなした。と言っても、「ハッピー・バースデー」はうたわない。接客の演出は、いっぷうかわっていた。

客が、自分は今日誕生日をむかえると、店につげる。すると、ウエイトレスやウエイターたちが、客のまわりにむらがりだす。ここまでは、ほかのレストランでも、時おり目にする段取りとかわらない。

ちがうのは、彼らがうたい、そしておどるその曲である。なんと、ここでは「東京音頭」が、従業員たちによって披露されていた。

〽おどりおどるなら、ちょいと東京音頭……という、あの曲が。

店の面々は、たいてい東洋系であった。しかし、日本語はおぼつかない。日系人の子孫、もしくはほかのアジア系にぞくする人たちが、はたらいていたのだろう。

「東京音頭」は、誰におそわったのか。あるいは、なにかのはずみでひとりが身につけた。そして、それをほかの仲間に伝授したのかもしれない。店へこれがつたわったいきさつは、不明である。

それにしても、シュールな光景ではあった。なにしろ、「京都」を名のる店で、「東京音頭」がくりひろげられるのだから。私は今でも、その閉店をおしんでいる。

海外で見かける京都の話題を、つづける。ごぞんじだろうか。タイのバンコクに、京都銀行があることを。漢字で「京都銀行」としるされた銀行が、彼の地では店舗をだしている。

と言っても、日本の京都銀行があちらに支店をおいているわけではない。じつは、日本の同行も小さなオフィスを、バンコクにもっている。しかし、そのことは、とりあえずおいておこう。

私が特筆したいのは、ほかでもない。くだんの京都銀行が、地元の華僑にささえられている点である。こう書くと、いぶかしく感じる読者もおられようか。どうして、中華資本が京都銀行をもうけるのか。バンコクの中国人と京都に、なんのかかわりがあるのか、と。

私たちは、バンコクのことを、たいていバンコクとよぶ。そう言いならわしている。しかし、この名は英語圏むきのそれである。タイの人びとが、タイ人どうしのやりとりで口にすることは、あまりない。

この都市を、地元の人びとはクルンテープと言っている。「神の都」、あるいは「天使の都」という含みをもつ呼称である。じっさい、この街には国王が君臨しており、また首都機能もおかれている。神や天使の都と命名されたゆえんである。

さきほどから紹介してきた華僑資本は、そんな都市に銀行を開設した。だからこそ、彼らはその名を「京都」銀行にしたのである。クルンテープの漢訳表記を採用したのだと、言ってもよい。

ちなみに、漢字の「京」は君主の居城があるところをさす。ものごとの大きいようすをしめすこともある。数字の「京」は「兆」の一万倍を意味している。時に、諸侯の館がある土地をしめす場合も、ないわけではない。しかし、いっぱんには「みやこ」をさしている。ほかに、みやびな様子やものごとの集積ぐあいを意味する場合もある。少なくとも、古典の世界ではそうなっている。

「都」も、皇帝の居館がもうけられたところをあらわす文字である。

だから、「京都」は王城の地を二重に強調する表記となる。「みやこ」のなかの「みやこ」と言っているようなものである。あるいは、「おおいなるみやこ」か。バンコク、いやクルンテープにはふさわしい文字使いだと言える。華人たちが、「京都」銀行を名のらせたことも、うなずけよう。

タイの彼らが、日本の京都をどう思っていたのかは、わからない。日本には、京都という都市がある。そこの銀行とまちがわれるかもしれないから、「京都」の名はひかえておこう。と、以上のように考えなかったことだけは、まちがいない。あんがい、眼中にもなかったのではないか。

いずれにせよ、「京都」は、けっこうおおげさな名前である。首都であり、王都でもあるクルンテープのような都市にこそ、似つかわしい。漢字文化圏に生きる華人たちは、そうみなした。

逆にどうだろう。日本の京都が、今日「京都」を名のるのは、おこがましくないだろうか。かつてならともかく、今は一介の地方都市である。「京」や「都」の字につりあう都市だとは、とうてい思えない。

現代日本社会で、唯一「京都」と言えそうな都市は東京である。まごうかたなき首都であり、君主である天皇もくらしてきた。一部の京都至上主義者をのぞけば、誰もが東京のことを、そういう都市だとみとめている。東京こそが、今では「京都」の名にいちばんふさわしい都市なのである。

タイの中華資本は、「神（天使）《テープ》の都《クルン》」に京都銀行を設立した。そんな彼らなら、東京にこそ「京都」銀行をもうけようとするかもしれない。かつては、現人神《あらひとがみ》とあがめられた君主がくらす東京に。まあ、日本政府や東京都の金融当局は、それをゆるさないような気もするが。

いずれにせよ、東京は「東」の「京」という名に、ながらくあまんじてきた。自分たちの街は、東側の「京」でしかない、と。

もう、事実上その地位をうしなった京都が、「京都」と称するのを、東京はみとめている。京都市を、たとえば「山城」市に格下げして、「京都」の名をうばおうとはしなかった。自分たちこそほんとうの「京都」だと、言いつのることを東京はひかえている。

こういうことを、われわれはどう受けとめたらいいのだろう。

――西京と東京

明治維新で、朝廷は江戸へ移動した。首都となった江戸は、東京に名前をあらためている。東の「京」だと、自称するようになった。

まだ、琵琶湖の西側には、京都を名のる都市がのこっている。もう、都としては抜け殻になった。にもかかわらず、京都を自称する。都のなかの都だという看板をおろさない。あいかわらず、えらそうな地名をふりかざす都市が、残存していたのである。

しかし、その旧都に東京は遠慮をした。朝廷をひきぬいたうえ、京都の名までとりあげるのは、強圧的にすぎる。京都としての実質は、もうすっかり東京がうばいとった。せめて、名前だけは旧都にのこしておいてやろうと、心をくだいている。とどめはささなかったのである。

天皇も公家たちも、旧都を見かぎっている。江戸、東京に居をうつした。しかも、彼らが見すてたのは、蛤御門の変で焦土と化した街である。

さきの天皇は、災害にみまわれたところへ、しばしば慰霊や慰撫《いぶ》の旅におとずれた。被災地の人びとへ、その傷心によりそうようつとめている。明治維新で下した朝廷の決断は、しかし真逆の方向をむいていた。焼きつくされてまもない故郷は放棄して、東京をめざしたのである。

もちろん、朝廷に東京移転を強いたのは、いわゆる官軍である。その政治力が、事態を左右した。天皇や公家たちに、はむかう力があったとは思えない。それでも、少なからぬ宮廷人は、うしろめたく感じたろう。自分たちがおきざりにした旧都へ、申しわけなく思ったのではないか。

あの街から、「京都」の名をとりあげないでほしい。遷都の宣言も、できればひかえてくれ。東京へうつった朝廷の面々は、そんな希望も政府でもらしていただろう。そして、権力をもつ顕官たちも、これを了解したのではなかろうか。「京都」という名前ぐらいなら、むりにうばう必要もなかろう、と。

ようすがかわりだしたのは、維新後五、六年をへてからであった。山城の京都は、そのころから「西京《さいきょう》」と名ざされるようになる。また、京都のほうも、この新しい名称をうけいれた。

もう、かつてのような都ではない。それでも、西側の「京」ぐらいにはしてやろうと、東京の中央政府は配慮した。そして、旧都もこれを甘受したのである。

「京都」から「西京」に、都市の名前を格下げした。だが、まだ旧都への恩情も、中央政府はいだいていたというべきだろう。じっさい、「西京」の名は、「東京」と同格にならぶひびきをもつ。東の横綱と対峙《たいじ》する西の横綱めいたあつかいに、名目上はなる。もう、「京」の内実はうしなった都市なのに。

余談だが、名古屋は「中京」と、しばしば言いあらわされてきた。東京と西京のあいだに位置している。両京の「中」にあるという意味をこめた命名であろう。東京が江戸だった時代には、ありえないネーミングだと考える。

ともかく、一八七〇年代に、京都は一時期、西京となる。だが、一八九〇年代のなかごろから、旧都はふたたび「京都」を自称しはじめた。そして、東京の中央政府も、けっきょくこれをみとめている。身の程をわきまえよ。「西京」という名前だって、おまえたちには、分不相応なんだ。ひかえおろうと、おしとどめはしなかった。

一九世紀のおわりごろには、京都も近代化の途《みち》を歩みだしている。それで自信をとりもどしたから、もとの「京都」にもどった。地元の京都では、よくそう言われる。この説明が、地方史の通り相場となっている。まあ、「地方」史という言い方を、京都至上主義者はよろこばないだろうけど。

いずれにせよ、私は京都の自信回復説にくみしない。地元の事情だけでは、事態を説明しきれないと考える。旧都の西京が京都になることをゆるした東京側の思惑も、さぐってみるべきだ、と。

一八八九年には、大日本帝国憲法が発布された。翌九〇年には、帝国議会もひらかれている。明治の新政府は、維新後の内乱や自由民権運動をのりきった。東京を首都とする、磐石《ばんじゃく》の体制をきずきあげている。

その安心感があって、東京の政府は「京都」の名をみとめたのだろう。あいつらが、そんなに「京都」と言いたいのなら、言わせておけ。もう、首都の実質はこちらにある。東京の地位はゆるがない。首都の権力中枢は、山城の旧都を、そんなふうにあなどった。そのおごりとゆとりが、「京都」の再浮上を許容したのだろう。

今は京都たりえない旧都が、あいかわらず「京都」を僭称《せんしょう》しつづける。日本のクルンテープででもあるかのように、名のっている。その背景には明治政府の気遣いと、それから目こぼしもあったのだと考える。

文化庁の京都移転を語ることで、私はこの本を書きだしている。そのさいに、京都側が強いこだわりをもっていたことも、紹介した。移転の仕事を、地方創生事業とよぶのは、やめてほしい。京都を地方あつかいするな。せめて、事業名は地域創生にしてくれないか。そう主張しとおしたことも、披露ずみである。

このうったえを、けっきょく東京の中央政府はうけいれた。京都側は、地方よばわりをはねつけている。その点についてのプライドは、まもりとおしたのである。このことも、前にふれた。

一九世紀末からは「西京」を反故《ほご》にし、「京都」へかえりざく。そして、二一世紀初頭には、「地方」をしりぞけ、「地域」の名を勝ちとった。百二十数年の時をへだて、同じようなことに血道をあげている。けっきょく、京都はこういう名前に執着する街なんだなと、かみしめる。

くりかえすが、一九世紀末から西京は、ふたたび京都になった。しかし、事態はいっきにすすんだわけでもない。しばらくのあいだは、「西京」の名をとどめる組織ものこされた。

たとえば、西京味噌という会社が、今でも営業をつづけている。京風の白味噌を、「西京味噌」の名で売ってきた。これが普及しているせいだろうか。白味噌につけた魚などは、いわゆる味噌漬けだが、西京漬とよくよばれる。

戦後の二〇世紀なかばになっても、「西京」と名のる機関はもうけられている。一九四九年に設立された京都府立西京《さいきょう》大学が、それである。

今は、この大学も自らの名前に「西京」の二字をかぶせない。一九五九年以後は、ただの京都府立大学になっている。しかし、発足当時の府立大学は西京大学を自称した。もう、新しい組織に「西京」の名をそえる時代ではない。古くから存続しているところに、「西京」の名は残存することがあった。しかし、二〇世紀中葉の新設大学を、わざわざ「西京」とよぶのは、不可解である。いったい、この大学にはなにがあったのか。

西京大学は、この名で東京大学にはりあおうとした。東大に対抗しうる西大、というような志をいだいたのではないか。私は今、そんな可能性を考えている。まちがっているかもしれないが、とりあえず仮説として提示する。ようするに、明治期の「西京」とは異なるそれとして、位置づけたいのである。

西京大学の文家政学部は、京都西郊の桂に、かつて校舎をもうけていた。今は西京《にしきょう》区にくみこまれる地区である。それで、西京大学になったという声を、聞くこともある。しかし、西京区ができたのは、一九七六年であった。西京大学が開校したのは、その四半世紀前である。西京区という今日の立地で、大学の名がきめられた経緯をおしはかることは、できない。

私は自説のほうを、より理にかなっていると見たいが、どうだろう。

——近畿と関西、そして関東

私のしゃべり方は、関西風になまっている。いわゆる関西弁しか、話せない。また、私には、関西人のひとりだという自覚がある。関西文化を生きているという実感だって、なくはない。

都道府県の地区分類で、私たちのくらすエリアは、近畿とよばれている。近畿二府四県（五県）という言い方も、よく耳にする。

しかし、関西弁という言葉はあっても、近畿弁は存在しない。近畿人だという自意識のある人も、ほとんどいないだろう。近畿文化という言い方も、まず聞こえてこない。私たちがよく口にするのは、関西弁や関西人、そして関西文化のほうである。

その意味で、私たちは近畿という表記より関西というそれに、なじんでいる。生活のなかに生きているのは、まちがいなく関西のほうである。

いっぽう、よりかしこまった場では、近畿の二文字にであうことが多い。たとえば、森友学園問題で話題をあつめた役所は、近畿財務局である。ほかにも、陸運局や地方整備局をはじめとする行政組織が、近畿なにがしを名のっている。気象庁がつかさどるせいだろう、テレビの天気予報も、近畿の空模様として報道をするのが、ふつうになっている。

生活実感では関西だが、役所の名称は近畿となる。ここでは、とりあえず以上のように、両者を分類しておきたい。

さて、近畿の「畿」は、ほんらい王宮や都《みやこ》を意味する言葉である。だから、近畿はそれらの近くを意味することになる。現代語へ言いかえれば、首都圏である。

話は古くなるが、この言葉は八世紀の律令に由来する。奈良時代の王権は、日本列島を四つの地域に区分けした。そのおりに、大倭《やまと》、山背《やましろ》、摂津《せっつ》、河内《かわち》の四国を「畿内」として、ひとつにくくっている。さらに、その四つを四畿内《しきない》とよびもした。なお、河内はのちに河内と和泉《いずみ》へ、国がわかれている。それ以後は、和泉もふくむ五畿内《ごきない》という呼称が定着した。

今日の府県分類にしたがえば、奈良、大阪、そして京都南部と兵庫東南部が、畿内となる。都の文化がおよぶ、その内側というほどのニュアンスか。そして、このあたりは幕末期まで、畿内とよばれつづけたのである。「畿」の座が奈良から京都へうつった、その千年後にいたるまで。

明治政府は、この地域区分を拡大する。京都北部、兵庫西北部、滋賀、三重、和歌山まで範囲をひろげ、ひとまとまりにした。そして、そこを近畿と名づけたのである。

新時代の区分は、五畿内の外側に位置する県もおおっている。それら周辺県までふくめて「畿」の内側、畿内とよぶのはむずかしい。「畿」の近く、すなわち近畿に地域の名称をさしかえたのは、そのためだろう。

しかし、維新で朝廷は東京へ移動した。東京が事実上の都になっている。滋賀や和歌山を、王宮や都の近くだとは言いがたい時代が、到来した。にもかかわらず、中央政府はこのエリアを近畿、「畿の近く」だと命名する。あいかわらず、「畿」の座は京都にあるかのような名前を、あたえたのである。

関東という地域名がある。今は、東京、神奈川、千葉、埼玉、茨城、栃木、群馬の七都県をさしている。じつは、この関東という名前にも、歴史的ないわれはある。

かつての律令政府は、近江のすぐ外側に三つの関所を設営した。伊勢に鈴鹿関《すずかのせき》、美濃に不破《ふわ》関、そして越前に愛発《あらち》関を、もうけている。さらに、それらの関所より東を、「関の東」、すなわち関東とよびだした。

当初は、鈴鹿、不破、愛発以東を大きくさす用語であったろう。しかし、江戸時代には、いわゆる関八州《かんはっしゅう》だけをさす名称として、つかわれだす。そして、そこには「関の東」を辺境と見下すニュアンスが、こめられていた。

だが、東国に覇をなした権力も、この関東という呼称をうけいれている。鎌倉幕府は、御家人たちに命じた鎌倉での務めを、関東御公事《おんくじ》とよんだ。江戸幕府も、関東の幕府領をおさめる役職に、関東郡代の名をあてている。中央の畿内にたいする関東という位置づけを、どちらも甘受したのである。

室町幕府は鎌倉公方《くぼう》の補佐役を、関東管領《かんれい》と命名した。ヨーロッパ史上の辺境伯《へんきょうはく》をほうふつとさせる、内実はともかく、名前である。それが、日本史では関東の名とともにひろがった。

大日本帝国時代に旧満州（現・中国東北部）へ駐留した軍隊は、関東軍とよばれている。この軍隊が管理した領域は、山海関《さんかいかん》という関所の東側へおよんでいた。関東軍の名も、そこに由来する。北京から見れば、関東に位置していたから、そう名づけられた。

現代日本に目をうつす。東京を中心とする七都県は、今日なお関東という名をたもっている。もちろん、首都圏という言い方も、けっこう流布するようになってきた。しかし、公式の地域表示は、今でも関東のままである。

くりかえすが、近畿という言葉は都の近くを意味している。そして、明治維新以後、関東は事実上の近畿になりおおせた。にもかかわらず、自らは、もともと辺境という含みもある関東を名のりつづけている。実質上は近畿でなくなった地域に、近畿の名をたもたせた。少なくとも、公的には。

朝廷を奪取した政権のある地方が、自らは「畿」のそばを名のらない。あいかわらず、蔑称でもあった「関東」の名に、あまんじる。そのいっぽう、うばわれた京都とその周辺には、「畿」の近くと言わせている。新しい東京政権は、それだけ旧都に気をつかったのだと言うしかない。

王朝交替の世界史では、しばしば似たような現象がおこる。実権を手にいれた新王が、旧王を打倒しきらない。むしろ、名目的な威光を、旧王の側にのこそうとする。旧王を御《み》輿《こし》にかつぎながら、自分の新しい支配をおしすすめる。名誉までは旧王からうばいつくさないというケースが、よくある。

維新後の地名からも、同じような気配りは見てとれる。旧都から、京都、都のなかの都という尊称を、とりあげない。一時は西京というランクのおちる名をあてがおうとしたが、それもあきらめた。自らは、ややへりくだった東京、東の都で良しとする。旧都のまわりに近畿の名をあたえ、自分たちのことは辺境、関東と言いつづけた。

新王権が旧王のあつかいに心をくだく。そんな世界史の例に、私は京都や近畿という地名の温存をなぞらえたい。

さて、関西である。関所の西を辺境とみなすこの言葉は、江戸時代にいたるまで、あまりつかわれない。畿内とよばれた地域は、文化的にも上方《かみがた》として、うやまわれてきた。関西という言い方が、本格的にうかびあがるのは、維新をむかえてからである。

ためしに、日本史の用語辞典を、なんでもいいからひもといてほしい。関東なにがしという言葉は、江戸期以前にたくさんある。しかし、関西なになにという言葉は、まったく見あたらない。それが浮上するのは、明治以後の現象であることが、よくわかる。

たとえば、一八七一年に関西鉄道会社が組織された。京都と大阪を鉄道でむすぼうとする民間会社である。けっきょく、事業はうまくいかず、二年後に会社は解散する。ただ、関西を自称する、かなり早い例であり、ここに紹介した。

一八八六年には、私学の関西大学（当時は関西法律学校）が設立されている。一九〇一年には、関西美術会、のちの関西美術院が発足した。官公庁は近畿の名を、つかっている。そんな時代に、民間では関西が普及していった。今では、関西弁、関西人、関西文化があたりまえの言い方になっている。

多くの人びとは、もう近畿でないことを、うすうす感じとっているのだろうか。とにかく、関所の西という含みもある関西が、すっかり定着するにいたっている。

東京政権は、うやうやしく近畿の名をあてがった。旧都をかこむ地域としては、身の丈《たけ》にあわない尊称をもらったこととなる。しかし、せっかくのうるわしい名前だが、生活実感にはなじまなかったようである。じっさい、東京近辺のことも、首都圏とよぶことが、このごろはふえだした。くりかえすが、近畿を今風に言いかえれば首都圏となる。

余談だが、キンキという音は、英語のkinkyによく似ている。英語圏の人びとには、日本人のキンキという発音が、しばしばkinkyとひびくらしい。書きづらいが、性的な変態を意味するkinkyに。

そのせいだろう。このごろは、近畿なにがしという官公庁が、英語の表記をかえている。kinki（キンキ）をやめて、kansai（カンサイ）にあらためだした。国際化をせかす昨今の趨勢《すうせい》は、近畿に逆風をおよぼしているようである。あるいは、関西に順風をと言うべきか。

明治の新政権は旧都を気づかい、近畿の名を贈呈した。しかし、この心づくしは、外圧により、公的な場でも用をなさなくなりつつある。まあ、英語のやりとりにかぎった話ではあるのだが。

——中国の正体

広島へでかけたことのある中国人は、よく現地のメディアにいぶかしがる。たとえば、テレビのスイッチをひねると、中国放送の画面が目にはいる。コンビニや鉄道の売店では、中国新聞が売られていた。いったい、これはどういうことなのか、と。

原爆の爆心地跡をおとずれる中国人は、少なくない。そして、あのあたりには山口から岡山までを統括した司令部の施設が、おかれていた。今でも、そのことをしめす碑はある。「中国軍管区司令部」うんぬんという表示が、おどっている。これも、しばしば中国人旅行者をとまどわせるらしい。ここに、中国軍がいたのか、と。

岡山には、中国銀行の本店がある。市中にも、その支店が点在する。中国人は岡山へたちよった時にも、不審感をいだくらしい。どうして、こんなところに中国銀行があるのか、と。ちなみに、中華人民共和国の中国銀行は、外国為替をあつかう中国唯一の銀行である。

大阪の吹田と山口の下関は、中国縦貫自動車道でむすばれる。全長五百四、五十キロほどの高速道路が、とおっている。これについても、苦笑する中国人は少なくない。あんな短い道路では、とても中国を縦貫することなどできない、と。

日本人には周知の事実だが、あえて書く。日本には、中国地方とよばれる地域区分がある。岡山、鳥取、広島、島根、山口の五県があつまったところの、それが総称になっている。中国放送や中国銀行があるのは、そのためにほかならない。日本人なら、誰もが以上のように事態を見きわめよう。

では、どうして岡山から山口までが、「中国」と呼称されるのか。中華の国名とまぎらわしい地方名がつけられたのは、なぜだろう。

歴史通なら、たいてい事情をわきまえている。しかし、中国地方という地名の由来を知らない日本人も、意外に多い。ねんのため、説明をしておこう。知っているという人は、読みとばしてもかまわない。

さきほど、八世紀の律令国家により日本が四つの地域に分類されたことを、紹介した。その時に、四畿内、あるいは五畿内と称される区域ができたことも、解説ずみである。だが、まだほかの三区分については、何も語っていない。ここでは、畿内以外の三つについても、説明しておこう。「中国」誕生の謎も、じつは律令時代にひそんでいる。

くりかえすが、律令政府は日本を四つの地区にわけた。都、あるいは畿内からの遠近による区分けである。都から遠い国ぐに、近い国ぐに、なかほどに位置する国ぐに、そして畿内。この四つに分割した。

遠い国ぐにのことは、遠国《おんごく》とよんでいる。近い国ぐには、近国《きんごく》と命名した。両者のなかほどにある国ぐにへあたえられた名は、中国である。日本の諸国は、都の奈良、および畿内を中心とする同心円状に、近、中、遠へわけられた。平安時代以後も、ながらくこの四分類がたもたれることとなる。

遠国とされたのは、石見《いわみ》、安芸《あき》、伊予《いよ》、土佐《とさ》以西、または以南に位置する諸国である。今の県区分にしたがえば、島根西部、広島西部、愛媛、高知から西南の諸県となる。また、越後《えちご》、上野《こうずけ》、武蔵《むさし》、相模《さがみ》から東側、また北側の諸国も、遠国へくみこまれた。新潟、群馬、埼玉、東京、神奈川以北、そして以東の諸県は遠国だったのである。

近国は西の端が、因幡《いなば》、美作《みまさか》、備前、淡路、となる。東側は、若狭、近江、美濃、参河、伊勢、志摩までである。あと、南側の紀伊までが、畿内をはぶき、近国とされた。西は鳥取東部、岡山中東部、兵庫南部まで。東は福井西部、岐阜南部、そして愛知、三重、和歌山にいたるまでが近国となった。

中国に分類されたのは、それ以外の国ぐにである。西側では出雲《いずも》、伯耆《ほうき》、備後《びんご》、備中《びっちゅう》、讃岐《さぬき》、阿波《あわ》の六国があげられる。東側は越前《えちぜん》、越中《えっちゅう》、能登《のと》、飛騨《ひだ》、信濃《しなの》、諏訪《すわ》、甲斐《かい》、駿河《するが》、遠江《とおとうみ》、伊豆《いず》の十国になる。それだけの十六国が、中国という枠にくくられた。

ねんのため、中国についても、ふくまれる諸県を今の県名でしめしておく。西側は島根

畿内・近国・中国・遠国

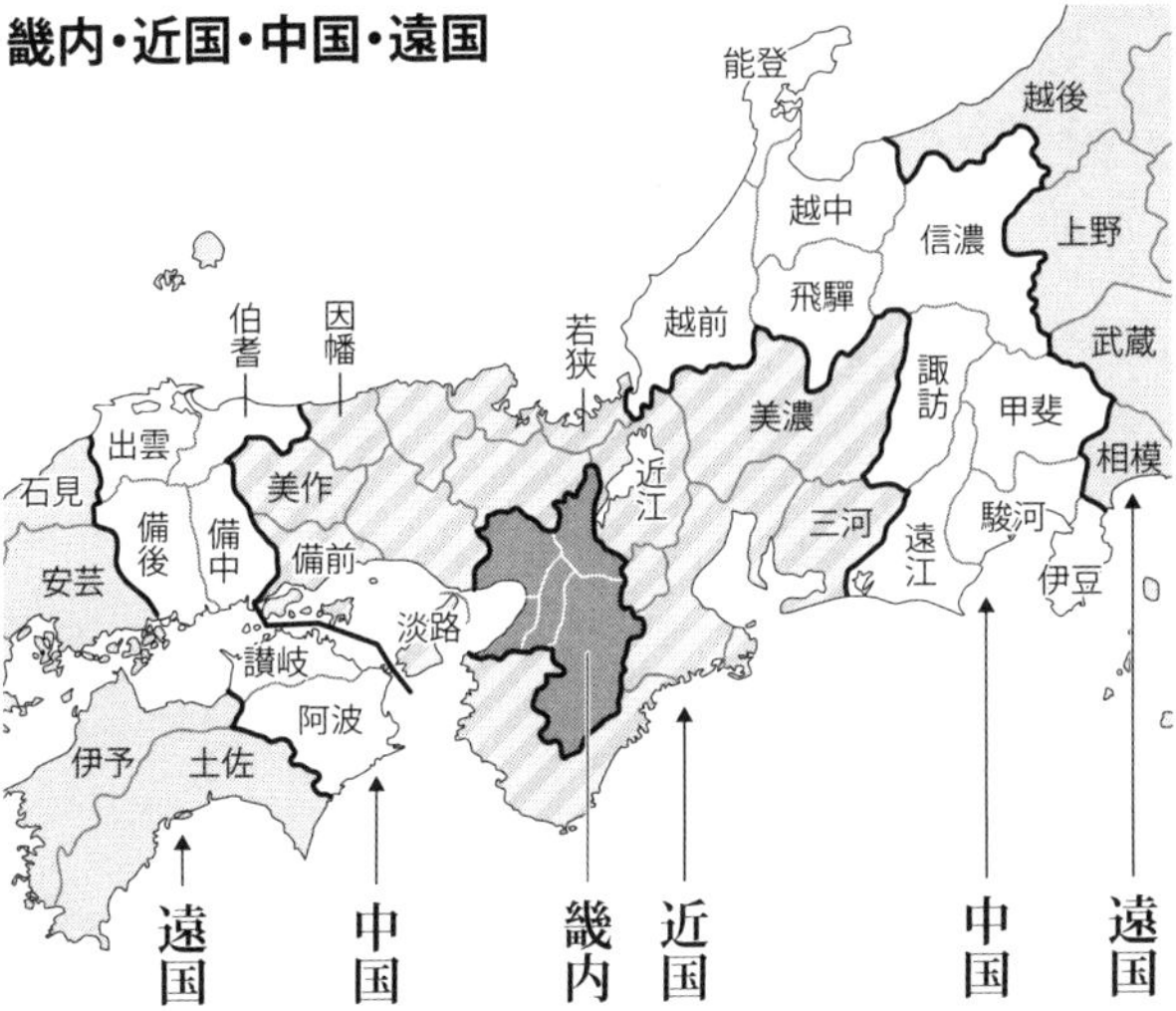

東部、広島東部、鳥取西部、岡山西部、香川、徳島が、その範囲となる。東側は、福井東部、富山、石川、岐阜北部、長野、山梨、静岡におよぶ。

今の中国地方とはちがい、長野や静岡も中国になっていた。それらは、遠国の東京や神奈川と、近国の愛知や岐阜南部にはさまれている。そのため、おのずとなかほどの国、中国というくくりにおさまった。

また、西側でも今日の中国地方とは、境界のありかたが、ずいぶんずれている。山口や島根と広島の西部は、中国にはいっていない。遠国とされていた。そのいっぽうで、南側の徳島や香川は、中国になっている。今は四国へ分類されるのに。

ぜんたいとして、かつての中国は南北へひろがっていた。今日の中国地方は、西日本限定だが、くらべれば東西方向にのびている。律令期の分類が同心円状のそれであったことは、この点からもしのびうる。

畿内と九州をむすび、瀬戸内海の北側をとおる陸路は、古くから山陽道と名ざされた。そして、山陽道は行程のとちゅうに、いやおうなく備中、備後を通過する。中国の国ぐにをとおっていく。そのため、この道はだんだん中国路《ちゅうごくじ》と称されるようになっていく。今は山口や広島、そして岡山も中国地方にふくまれる。けっきょく、中国路ぞいのエリアへ、東西方向にその範囲はひろがったということか。

いずれにせよ、中国地方という呼称は、畿内の律令、そして王朝政権に由来する。奈良や京都が、自分たちこそ中心だといばっていた時代に、地名の源《みなもと》はある。その意味では、近畿という地名が生きながらえていることと、同じように位置づけうる。

長野や静岡あたりをも中国とよんだ、その地理観は、もうなくなった。しかし、広島あたりでは、形をかえながら、それがのこっている。畿内という中心地があり、他は近国、中国、遠国にわけられた。そんな時代のあったことを、「中国」という字面はとどめている。

さきほど、国際化の勢いで「近畿」が逆風をこうむっていると、そう書いた。英語圏の人びとは、キンキの響きを変態（kinky）とうけとってしまう。それをはばかり、英語の表記を「kinki」から「kansai」にかえた組織は少なくない、と。同じような影響は、この「中国」にだっておよぶかもしれないと思うが、どうだろう。

作家の徳田秋声が、『新世帯』（一九〇八年）という小説を書いている。なかに、こんな一文がある。「中国訛《ちゅうごくなまり》のある、優しい夫人の声……が憶《おも》い出《だ》された」、と。作中に登場する日本人女性は、いかにも中国地方の人らしくしゃべっていた。その口調を、作家は「中国訛」とよんでいる。

しかし、どうだろう。現代の日本人は「中国訛」という言葉から、日本の中国地方を連想するだろうか。今の都市部には、チャイナの中国からやってきた人が、おおぜいいる。日本語のできる人も、少なくない。現代人は、そういう中国人のしゃべる日本語を、最初に想いえがきそうな気がする。

「東北訛」や「九州訛」が誤解をされる心配は、まずない。「関西訛」も、日本人による方言の一種として、うけとめられるはずである。「東北」、「九州」、「関西」などという名の外国は、どこにもないのだから。

だが、「中国訛」は、やや心もとない。今は日本のなかでも、中華の「中国」が、その存在感を高めている。遠からず、チャイナ訛の日本語ばかりをさすようになっていくのではと、心配する。いや、もうそうなりつつあるかもしれない。

――西海道の可能性

何度ものべているが、今の首都は東京である。しかし、今日もなお、京都が都であった時代の地名は温存されている。それも、京都の中心性をしめす地名が、のこっているのである。

たとえば、「京都」という地名の存続じたいが、その例にあげられる。「近畿」という名が維新後にひねりだされたことも、同じように語りうる。そして、私はそこに東京の配慮を、読みとった。首都の座をうばった都市が、旧都に名目的な華をもたせたのだ、と。

「中国」を今でもつかうことが、その例にあげられるのかどうかは、わからない。京都から近い近国と遠い遠国のあいだにあるから、広島あたりは中国となった。その地理感覚が維新のころまで残存していたのなら、京都への配慮はあったとみなしうる。旧都に敬意をあらわして、「中国」の二字をつかいつづけたのだ、と。

しかし、「中国」が京都をうやまう表記だと、維新のにない手は意識していたろうか。私はその点に、もうひとつ自信がもちきれない。判断は保留する。「中国」に旧都への気遣いが読めるかどうかは、わからない。

話題をかえる。東京と大阪のあいだには、今、東海道本線の鉄道がとおっている。両者をむすぶ新幹線も、東海道新幹線として、ながらくしたしまれてきた。ほぼ同じ区間にもうけられた遊歩道の名は、東海自然歩道となっている。

われわれは、あの道のりを「東海道」と言うことに違和感をいだかない。誰もが、なんのためらいもなく、そう口にする。

じつは、この名も律令時代の地域区分にねざしている。畿内の東側で、伊勢から常陸《ひたち》へいたる。そのあいだにつらなる太平洋側の国ぐにを、律令政府は東海道とよびならわした。

その名が、今日までもちいられているのである。

この呼称は、愛知や静岡、そして神奈川あたりを、東の海ぞいだと言っている。言葉をかえれば、そういった諸地域が東側に見えてしまう地域で、この名はきめられた。奈良や京都を中心とする畿内側からの命名にほかならない。

じっさい、首都東京からながめれば、静岡や愛知は西側の海に面している。東京に地名えらびの決定権があるのなら、西海道と名づけたいところであろう。だが、あの道筋は東海道として、ごくふつうにみとめられている。東京を首都とするこの時代にも、京都時代の地名がまかりとおっているのである。

江戸時代には、京都の三条大橋が東海道とよばれる道の起点となった。終点は江戸の日本橋である。上方から江戸へむかう者は、そんな道を下っていった。いわゆる東海道五十三次を。

ほこり高い一部の京都人は、今でも東京へゆくことを「東下り」と言いたがる。聞こえよがしに、関東下向という口吻《こうふん》をしめすことがある。さきほどは、かなり揶揄的にそのことを紹介した。もう、そんな空いばりはやめたらどうかと、のべそえて。

しかし、彼らにも彼らなりの言い分はあるだろう。

新幹線は、今でも東海道を名のっている。東側の海ぞいをはしる鉄道だと、看板にかかげてきた。そして、その名は、あいかわらず京都が起点であることを、しめしている。会社じたいも京都が軸となってきまった名、つまりJR東海を社名にしてきた。

そんな鉄道にのって東京へゆくことを「東下り」と言って、何が悪いんだ。東海道の名前じたいが、東京ゆきを下向だと言っているようなものじゃあないか。どうしても、東京を始発駅としたいのなら、路線の名を「西海道」にかえてほしい。

ねんのためことわっておく。私じしんは、今のべたように、まったく考えない。ただ、一部の京都至上主義者なら言いたがるだろうことを、代弁したまでである。筋だけはとおっていそうだが、空疎な言い分を。

「東海道」という地名の継承に、明治政府の配慮があるのかどうかは、わからない。「中国」と同じで、判断にはなやむ。

「近畿」や「京都」は、あからさまに山城の京都を中心とする呼称である。そんな地名を定着させた背景には、新政府の気遣いがあったと言えるだろう。だが、「中国」や「東海道」は、京都の中心性を、間接的にしかしめさない。古くからたもたれてきた地名を、惰性で生きながらえさせた可能性もある。

維新政府に地名改変への強い意欲があったことじたいは、うたがえない。とりわけ、全国の旧国名は、みなさしかえられている。廃藩置県や府県制の断行で、全面的にあらためられた。京都と畿内を頂点にいただく国名も、すべて姿をけしている。

たとえば、北陸を考えてほしい。かつて、この地方では、国の名が西から順に越前、越中、越後と、つらなっていた。越前と越中のあいだには、加賀もはさまる。しかし、加賀をのぞけば、西から東へ前、中、後とつづいていたのである。

この順序を、じっくりながめてほしい。畿内に近いところが前で、遠いところは後となっている。都からながめて前に位置するところが、「越の国《こし》」における「前」だとされていた。うたがいようもなく、奈良や京都を中心にすえた地名である。

岡山から広島にかけての旧国名も、あつかいはかわらない。都に近いところが備前、はなれるにしたがい備中、備後と名ざされた。

群馬と栃木が、それぞれ上野《こうずけ》、下野《しもつけ》とされたのも同じである。都に近いところが、

「上」だとされた。千葉の上総《かずさ》と下総《しもうさ》でも、事情はつうじあう。海路の畿内よりが、やはり「上」となる。畿内からはなれたエリアを下位におく地名の秩序は、関東でもつらぬかれていた。

滋賀が近江とよばれたのは、琵琶湖をいただくせいである。湖の名には、はじめ「淡江《あわうみ》」、淡水の「江《うみ》」という字があてられた。時代が下るにしたがい、その表記は「近淡江《ちかつあわうみ》」、そして「近江《おうみ》」へかわっていく。都の近くにある「江」だとされた。また、琵琶湖をかこむ国の名じたいも、近江になる。

いっぽう、静岡の浜名湖を、都の人びとは遠くの「江」としてとらえてきた。「遠江」の名は、そこにねざしている。遠州などという呼称も、都を中心にすえた地理観に由来する。ようするに、滋賀は近いが静岡は遠いとみなされたのである。

ねんのため、「江」の字につき解説をおぎないたい。この文字は、海や湖が陸地と接しているようすをさす。「入り江」という言葉の「江」と言えば、わかりやすかろう。

明治の新政府は、くりかえすが古い国名を一新した。新しい府県名をおしつけ、時代がかわったことを印象づけようとしている。旧大名が領国をおさめる時代は、もうおわったのだと納得させるために。

また、新政府は統一政権としての体裁にも、こだわった。同じ地名が、各地に重複して点在する旧幕時代の状態をきらい、あらためさせている。そのため、改名を余儀なくされたところは、少なくない。

たとえば、京都府の北部に舞鶴という都市がある。江戸時代に、この街は田辺とよばれていた。ここを統治していたのも、田辺藩である。拠点となった城も、田辺城であった。しかし、同じ地名は和歌山にもある。明治新政府は、このまぎらわしさをいやがった。京都府の田辺には、名前をあらためるようせまっている。そして、この要請を田辺もうけいれた。舞鶴は、そんな事情で新しくひねりだされた地名にほかならない。

ちなみに、舞鶴は田辺城の愛称であった。城の姿が鶴の舞をしのばせたため、そうはやされたのだという。舞鶴城という通称も、定着していたらしい。そんな城のニックネームを、かつての田辺は新しい都市名にえらびだしたのである。

姫路城に白鷺《しらさぎ》城という別称があることは、ひろく知られている。これも、城のたたずまいが白鷺をほうふつとさせたから、そう名づけられた。舞鶴への改名は、姫路市の名を白鷺市にしてしまうようなそれだと言うしかない。

話を、もとにもどす。とにかく、明治新政府は地名を新しくさせることに、けっこう力をいれた。古い国名などは、ほぼ一掃したのである。

北陸の西側から、越前、越中、越後とつづく国名も、廃止させている。そこには、京都を基準とする地名連鎖への反発が、あったかもしれない。じっさい、新首都の東京から見れば、新潟のほうが富山や福井より近くなる。北陸のならびで、いちばん前にくるのは新潟である。新潟こそ「越前」だというような想いも、改名動機のひとつにはあったろうか。

近江と遠江についても、似たような憶測をのべたくなる。なるほど、京都に視点をすえれば、静岡より滋賀のほうが近い。しかし、東京を原点にすれば、静岡のほうが「近江」となる。以上のような想いも、旧国名の全廃をあとおししたろうか。

そう、新首都の東京には、けっこう不寛容な一面もあった。地名の刷新には、少なからぬ情熱をかけていたのである。

だからこそ、「京都」や「近畿」を温存させたことの意義は軽くない。私は、やはり東京政府のただならぬ配慮を、読みとりたいと思っている。

四　東へ西へ

——西東京市から見えること

甲子園の高校野球に、このごろ東京からは、ふたつの高校がおくりこまれている。東《ひがし》東京の代表校と西《にし》東京の代表校が出場するようになって、ひさしい。

ところで、東京都には西東京《にしとうきょう》市という街がある。練馬区のすぐ西側にひろがる都市である。市域は、それほど大きくない。こぢんまりしている。少なくとも、東京の西半分をおおうようには、ひろがっていない。

甲子園の西東京代表は、東京都をふたつにわった、その西側から選出されている。練馬区の西にある西東京市を勝ちぬいただけの高校では、けっしてない。

しかし、西東京代表という呼称は、誤解を生むおそれもある。あの小さな西東京市だけでえらばれた高校なのかと、かんちがいをされかねない。東京都を二分するのなら、北東京と南東京にわけたほうがよさそうな気もする。北東京市や南東京市は、今のところ存在しないのだから。

高校野球の西東京・東東京の境界

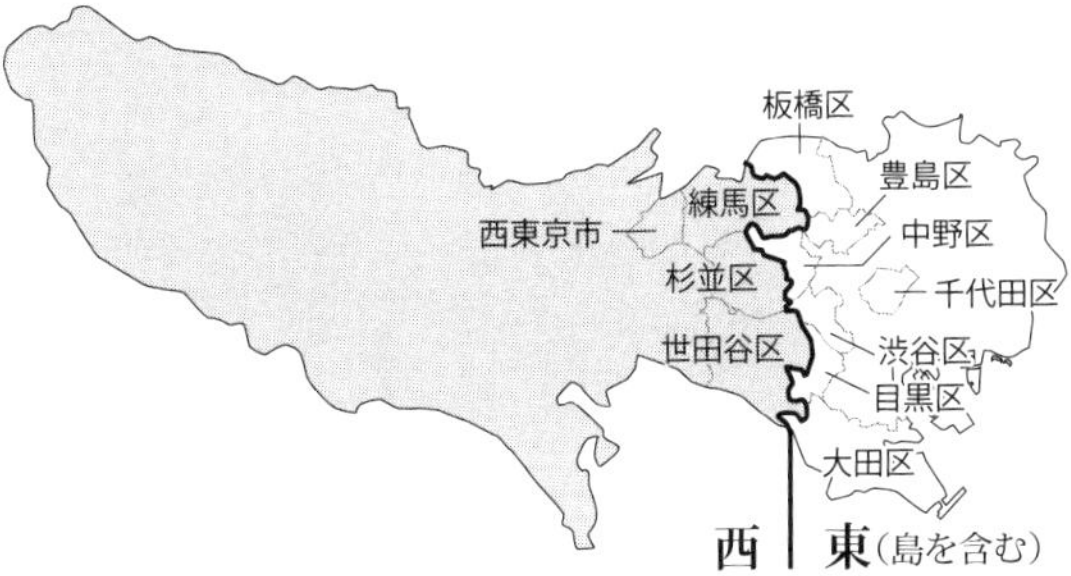

とはいえ、東京都は東西に長くのびる自治体である。あそこへ南北の地区割をもちこむのは、むずかしいだろう。北東京と南東京は、どこで区分けをしても、地域のひろがりが細長くなりすぎる。東京をふたつに分割するのなら、やはり甲子園流の西と東が理にかなう。南北への区分けなど、おせっかいな提案だったと言うべきか。

多くの都民は、西東京代表と聞けば、ごくふつうに東京の西半分を連想する。練馬の西に位置する西東京市へ想いをはせる者は、ほとんどいない。それが東京暮らしをいとなむ人びとの、生活実感にもとづく判断なのであろう。西東京市との混同を心配するのは、東京を知らない地方在住者の僻目《ひがめ》かもしれない。

西東京市という行政単位は、まちがいなく東京都内にある。だが、もっとひろい東京の西半分をさす区分も、同じ名前であらわされてきた。西東京市があるのに、西東京代表は、よりひろい範囲をさす呼称として流布している。どうやら、西東京市という街には、都内での存在感があまりないような気もする。

だが、私はこの自治体に、以前から興味をいだいている。より正確に書けば、その中身ではなく、名称をおもしろがってきた。

ひょっとしたら、都内で西東京市が話題になる機会は、少ないのかもしれない。しかし、私のなかでは、これがたいそう大きい名前になっている。西東京代表というくくりとのかねあいで、反応をしてしまったのも、そのためである。

西東京市は二〇〇一年に、保谷《ほうや》市と田無《たなし》市が合併してできた。新しい自治体である。西東京という名も、その合併時にきめられた。東京二十三区のすぐ西隣という含みも、この命名にはあったのだろう。

前にものべたが、東京という名前は東の首都という意味をもつ。京都を本拠とする東側の京都を、ほんらいはさしていた。明治の新首都は旧都に遠慮をし、ひかえめに自分の名前をきめたのである。これからは都《みやこ》になるが、あくまでも東方のそれであり、本家は山城の京都だ、と。

この原義へたちかえれば、西東京の名はわけがわからないことになる。東におかれた京の西とは、いったい何なのか。西の東にある京は、どういうことを意味するのだろう。東の西だから、もとの京へもどるのか。いくら考えても、答えは見つからない。

ニューヨークの都心は、五番街をはさみ、ふたつの地区にわかれている。イースト・サイドとウエスト・サイドが、むかいあう。『ウエスト・サイド・ストーリー』は、その西側をとりあげたミュージカルである。

この街で、かりに「ウエスト（タン）・イースト・サイド」と言ったらどうなるか。どこをさす地名になるのだろう。わざわざ、検討するまでもない。「西東」という方位の設定は、たいそうきみょうにひびくはずである。現地の人からは、意味をなさないと言いかえされるだろう。

西新橋と東新橋はありうるが、西東新橋などありえないのと同じである。あるいは、西東麻布が存在しえないように。例示が港区にかたよりすぎたろうか。それなら、西東神田や西東浅草のなりたたないことを、例にあげてもかまわない。

そして、今のべたようなナンセンスに、西東京市という名前はおちいっている。東の京だから、東京としるす。言葉のそういうなりたちを考えれば、西東京の意味は不可解だと言うしかない。

にもかかわらず、保谷と田無は合併して西東京市を名のった。のみならず、この命名は東京都全体の合意もとりつけている。甲子園への西東京代表という枠の名称も、違和感なくうけいれられてきた。

いや、なかには異をとなえる人だって、いたかもしれない。西の東にある京は、おかしい、と。また、正反対の方位をならべた「西東」は地名たりえないという声も、あったろうか。しかし、最終的には西東京市で、ぜんたいの了解がえられている。この名にとまどう地元民は、あるいは都民も、少数派であったと言うしかない。

けっきょく、東京という地名の原義をふりかえる人は、あまりいなかった。多くの都民は、東の京というもともとの意味を、わすれている。「トウキョウ」というひびきだけが、想いうかぶようになっているのである。欧米人と同じように、〝tokyo〟、あるいは〝tokio〟として。まあ、漢文のできる中国人はべつかもしれないが。

西東京という地名も、もっぱら「トウキョウ」の西として受容された。京都の「西東」としては、ほとんど誰もうけとめていない。だからこそ、ああいうきみょうな地名も、大手をふってまかりとおるようになったのだろう。あるいは、高校野球の西東京という地区割も。

べつに、東京の都民を教養がないとなじりたいわけではない。むしろ、逆である。私はこの現実を、一部の京都至上主義者へつきつけてやりたく思っている。

今でも京都は都である。東京は一時的な首都、東にできたかりそめの都でしかない。そう京都至上主義者たちはうそぶき、言いつのる。

だが、東京には、東京を東の京としてとらえている人など、ほとんどいない。そんな語源は、とっくにわすれられている。今の東京は、「トウキョウ」になりおおせた。世界にかがやくスーパーシティである。お前たちがすがる昔のいきさつにとらわれている人は、もうきえうせた。ざまあみろ。

西東京市の出現は、私にそんな弁論術の素材をあたえてくれた。ほこらしげな京都人に一太刀あびせられる理屈を、私はもらっている。保谷と田無の人びとには、いい地名をえ

西東京市・東伏見稲荷

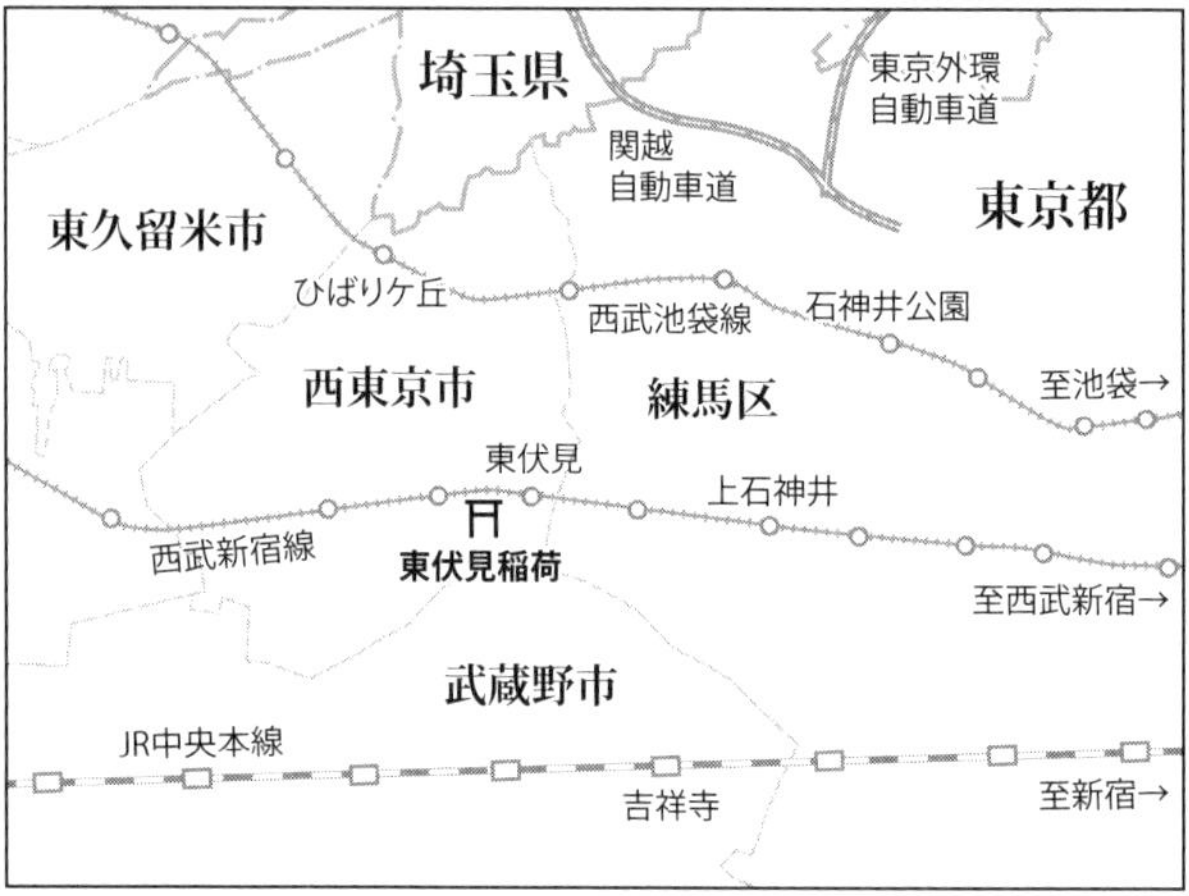

らんでもらいありがとうと、のべそえたい。

――東伏見にいやされて

もう少し、西東京市にこだわる。

この街には、鉄道が二本とおっている。北側をゆくのは西武池袋線、そして南側を横切るのは同じ西武の新宿線である。その新宿線に、東伏見という駅がある。駅の南側には、東伏見という町が一丁目から六丁目まで、ひろがっている。

この町名は、同地に鎮座する東伏見稲荷《いなり》神社へ敬意をはらって、つけられた。東伏見稲荷の社《やしろ》をいただく町というほどの含みが、そこにはこめられている。

この神社がもうけられたのは、一九二九年であった。京都市の伏見区にある伏見稲荷大社から、分霊をしてできている。もっとも、この時期だと伏見区は、まだ京都市に編入されていない。伏見町から伏見市へと昇格したころで、京都市からは独立した立場をたもっていた。

東伏見稲荷という社名も、もちろんその設立経緯に由来する。伏見稲荷の神霊を、東の地へわけてもらった。本宮は京都南郊の伏見にあり、自分たちの社は東側へうつされた分社である。そんな自覚が、東伏見という名を、おのずともたらした。

じっさい、この神社は今でも本宮の伏見稲荷を、うやまいつづけている。毎年のように、本社参拝の旅行へ、講の有志はでかけていると聞く。

東京都民は、東の京という名前の由来を、もうわすれているかもしれない。西東京という命名じたいが、その忘却ぶりをあざやかに物語る。しかし、西東京市の東伏見稲荷は、伏見稲荷の東伝という歴史をおぼえている。京都の伏見区民には、うれしい話である。まあ、東伏見の住宅街でくらす一般住民は、もうこの謂《いわ》れを知らないかもしれないが。

京都の洛中を生きる人たちは、前著でものべたが、洛外を見下している。伏見区のことも、京都だとは思っていない。あんなところと京都をいっしょにされるのはこまる。そんな口吻を聞こえよがしに、だがもってまわった言い方で、よくもらす。

だからこそ、西東京市の東伏見という町名は、私の耳に心地良くひびく。
くりかえすが、西東京の名は京都の威光を歯牙にもかけていない。値打ちがあるのは東京で、京都の名前など糞くらえと言っているような地名である。いっぽう、東伏見という地名からは、伏見への敬意がほの見える。

西東京の東伏見は京都をあなどり伏見をうやまう地名だと、どうしても思えてくる。洛中的な価値観を、あからさまに否定する半面、洛外は尊重する。そんな名前だと、私の耳は聞きとってしまう。ありがたく思えるゆえんである。まあ、東伏見の人びとには、どうでもいい話だろうけど。

さて、京都の西陣には、大報恩寺という寺がある。その本堂は、千本釈迦堂《せんぼんしゃかどう》の名でも知られている。京都でいちばん古い仏堂としても、しばしば話題になる。

じっさい、その建立年代は一二二七年ということであるらしい。一三世紀のはじめ、鎌倉時代初期の遺構になるという。この寺が、境内のアナウンスなどで京都最古をうたうのも、よくわかる。寺のホームページには「京都市内（京洛）最古」とあるらしい。

応仁の乱による類焼をまぬがれたことも、ほこらしく語れる寺伝になりえよう。じっさい、堂内の柱には乱でできたという刀傷も、のこっている。まあ、私はこの傷跡を、どこかでうたがいもしているが。

ところで、京都でいちばん古いという話は、ほんとうなのか。歴史にくわしい読者なら、まずそこに疑問をいだくかもしれない。たとえば、醍醐寺には、もっと古い堂塔がのこっていたんじゃあないか、と。

醍醐寺の五重塔は、九五二年にもうけられた。薬師堂の創建年代は一一二一年、金堂ができたのも平安時代である。鎌倉時代までしかさかのぼれない千本釈迦堂などより、よほどその歴史は古い。京都最古という語りっぷりは、うたがわれてしかるべきだと考える。

しかし、注意をしてほしい。千本釈迦堂は、自分が京都府や京都市でいちばん古いとは、広言してこなかった。京都ではもっとも古いとしか、言っていない。由緒をきそいあう土俵は、京都に限っている。あるいは、市内でも「京洛」とよべるエリアに限定しているのである。

醍醐寺の境内は、伏見区にひろがっている。行政的には、京都市域へくみこまれた場所である。しかし、洛中の人びとは、こういう行政区分を軽んじる。伏見あたりは京都にふくまれないと考えやすい。そして、そんな京都観にしたがえば、醍醐寺などは比較の対象からはずしうる。西陣の千本釈迦堂が、京都最古をほこれるゆえんである。

平等院鳳凰堂も平安時代の建物であり、千本釈迦堂より古い。しかし、その立地は宇治市にある。京都府下ではあるが、京都市にさえぞくしていない。京都でいちばん、という文句は、洛中での一等をさしている。宇治などは、はじめから眼中になかったと言うしかない。

千本釈迦堂は、京都でもっとも古いことを、自負している。そして、伏見区や宇治市には、より古い建物がある。おわかりだろうか。千本釈迦堂のアピールは、事実上こう言っているのである。伏見や宇治とは、くらべる必要がない。あのへんは、そもそも京都じゃないのだから、と。

『建築MAP京都』（一九九八年）という本がある。京都市を中心に、府下へもいくらかは目をくばった、建築紹介のガイドブックである。滋賀県下への言及も、一部ある。「日本建築史を彩る建築378件」を解説したと、本の冒頭にはしるされている。

なかに、興味深いまちがいがある。一四三ページにおさめられた千本釈迦堂へのあやまった言及が、じつにおもしろい。そこには、こうある。「京都市内最古の建築で……」、と。

「京都市内」の伏見区は、もっと古い建築を温存しているのにもかかわらず。

千本釈迦堂がとなえる京都で最古という文句を、『建築MAP京都』はとらえそこなった。京都と言えば京都市のことだろうと、そぼくにうけとめている。洛中で京都と言えば、伏見をはじめとする洛外ははいらない。その現実に、理解がおよばなかったのである。

編者たちの顔ぶれをながめれば、名だたる建築史家がならんでいる。これだけの書き手をならべながら、だれもこのミスを見ぬけなかったのかと、かみしめる。

洛中で語られる京都からは、周辺部がしばしばはぶかれる。右京区や左京区、そして山科区や伏見区をのぞく区域が、想定されやすい。もちろん、西京区も。その京都的な世間知が、大学の建築学にはとどいていないことを、思い知る。『京都ぎらい』でのべたような話にも、書いておく意義はあったということか。

私は京都市の右京区で生まれそだち、今は宇治市にくらしている。ただ、最初に所帯をかまえたのは伏見区である。その家族記念めいた意味もこめ、わが家は伏見区に本籍をおきつづけている。

そして、洛中には、この伏見区を京都からはずしてとらえる人が、おおぜいいる。千本釈迦堂のように、公然と伏見の醍醐寺を黙殺する寺もある。私のなかにある屈託は、けっして小さくない。

だからこそ、私は西東京市の東伏見にすがりつく。過剰な意味を、その地名に読みとろうとしてしまう。

東伏見の人びとにはありがためいわくな文章を、私は書いたのかもしれない。だが、私のほうにも、東伏見へ感謝をしたくなる心理的なトラウマはあった。そこをおもんぱかり、このおおげさな一文を大目に見てもらえれば、さいわいである。

――比叡山と東叡山

東京・上野の寛永寺は、皇居の東北に位置している。創建されたのは一六二五年、つまり寛永二年である。寛永寺と名づけられたのも、たてられたのが寛永年間だったからにほかならない。もちろん、その当初から、この寺は江戸城の東北におかれていた。

寛永寺には、東叡山《とうえいざん》という山号もある。東側の比叡山を自称する寺である。ひとつには、比叡山延暦寺を再興させた天海《てんかい》僧正がまねかれたせいで、そうよばれた。

あとひとつ、この命名には、その方位もあずかっている。比叡山は京都の東北、言葉をかえれば鬼門の方角にそびえたつ。それと同じで、寛永寺がいとなまれた忍岡《しのぶがおか》も、江戸城からは鬼門の方向に見えた。この一致もてつだって、ここは東叡山を名のるようになる。

今の寛永寺は、江戸時代にくらべ境内地が、ずいぶんせばめられた。明治維新政府に土地をめしあげられ、規模が小さくなっている。しかし、もとは幕府の庇護《ひご》もうける大寺院であった。今日の上野公園は、みな寛永寺の寺地にふくまれていたのである。

寛永寺の現状から、この寺をあなどってはいけない。あのていどで、よく東の比叡山が名のれたものだと見下すのは、まちがっている。もともとは、その名にふさわしい大寺院だったのである。まあ、山のスケールをくらべれば、忍岡は比叡山にとうていおよばぬが。

上野公園の西南に不忍池《しのばずのいけ》がある。池の中には、小さな島がうかんでいる。弁天堂や大黒天堂をもうけた島である。この小島は、人工的にきずかれた。できあがったのは、一六二五年で、寛永寺の竣工と同じ年である。

寺が比叡山になぞらえられたせいだろう。そのすぐ脇にひろがる不忍池は、琵琶湖に見たてられている。のみならず、池中の小島は竹生島《ちくぶしま》だとはやされた。しかも、この島は、わざわざ新しくこしらえられた人工島なのである。琵琶湖なら、竹生島のしのべる島もあったほうがいいと考えられ、造営された。

ごくろうさまと言うしかない。そこまでして、寛永寺を東の比叡山にしたかったのかと、感じいる。

さて、この寺に忍岡の土地をあたえたのは幕府であった。延暦寺の復興につとめた天海をよびよせたのも、幕府である。ここを東叡山とする企画には、とうぜん幕府の思惑も大きくかかわっていただろう。

江戸城の東北、鬼門に、東の比叡山を幕府はいとなませた。自らと寛永寺のかかわりを、京都と延暦寺の関係になぞらえようとしたのである。逆に言えば、自分たちの本拠である江戸城を、京都そのものに見たてたがっていた。ことごとしく、東北に東叡山をひらかせたのも、自らが京都であろうとしたためだろう。

そう、幕府は東の京都たらんとする野望を、どこかに秘めていた。東の比叡山をもうければ、江戸城は東の京都として印象づけられる。そうもくろんでいたに、ちがいない。

もちろん、江戸城を東京城とよぶようなあつかましい姿勢は、しめさなかった。江戸という土地の名を、自分たちの城にはあてている。朝廷をあなどりすぎるような命名には、およんでいない。

それでも、鬼門に東叡山をおいている。東の京都であろうとする野心が、江戸時代のはじめからあったことは、うたがえまい。たとえ、自らは東京を名のらなかったとしても。

ここがはれて東京になったのは、明治維新をむかえてからである。東叡山造営から、二百四十年ほどの時をへて、ようやくその名を勝ちとった。しかし、東京たらんとする志じたいは、早くからいだいていたのである。それこそ、江戸に幕府をひらいてまもないころからの、それは野望であった。

ただ、明治維新でこの街は朝廷をうばいとって、いや、むかえいれている。東京どころか、京都を名のってもいいような街に、なりおおせた。以前は、京都との通底性を、鬼門の東叡山で暗示的にほのめかしている。そういう間接的な手立てでしか、自らの都ぶりはしめせなかった。しかし、維新後は正面からどうどうと、首都らしくふるまえるようになったのである。

くりかえすが、新政権は寛永寺から広大な寺地をとりあげた。かつての巨刹《きょさつ》を矮小化させている。もう、東叡山などにたよらなくても、東京の首都性ははっきりしめしうる。政権側がそう見きわめられる時代になったことを、この土地収用は反映していよう。

寛永寺は江戸幕府にささえられつづけた寺である。新政権から見れば、仇敵《きゅうてき》の宗教的な牙城と言うしかない。大規模な接収、上地《あげち》を余儀なくされた最大の理由は、この点にあったろう。ただ、新政権は首都性の象徴である朝廷を、手中におさめている。寛永寺に依存して、京都の模造品を演じる必要がなくなったことも、たしかだろう。

東の比叡山ともくされ、寛永寺には東叡山という山号があたえられた。そう聞かされれば、たいていの人は、いやおうなく想いこんでしまうだろう。京都の鬼門をおさえた比叡山の延暦寺こそが、その本家筋にあたるのだろうな、と。

たしかに、設立当初の寛永寺は延暦寺を本山として、あおぎみた。しかし、一七世紀のなかごろからは、その力関係が逆転する。江戸の東叡山は、本家であった比叡山の地位をうばうようになる。

幕府はかねてより朝廷へ、皇子の関東下向、および在住をねがいでていた。その要請にこたえ、京都側は後水尾《ごみずのお》天皇の第六皇子を、おくりこんでいる。はじめ日光山門主となったこの皇子は、やがて東叡山にむかえられた。一六五五年には、寛永寺でくらしつつ、そのまま天台座主《ざす》となっている。

日光山と東叡山のトップをかねた天皇家のプリンスが、寛永寺に居をかまえる。この事態をうけ、後水尾は日光山に輪王寺《りんのうじ》という寺号をおくっている。こうして、寛永寺は朝廷もみとめる形で、天台宗をたばねる本山におどりでた。

比叡山の延暦寺は、そのため寛永寺の管掌下におかれてしまう。もう、比叡山からは天台座主がえらべない時代を、むかえたのである。琵琶湖の縮小コピーまでつくった東叡山に、頭の上がらない状況へおいこまれた。

首都東京でくらす人びとも、あまり知らない歴史だと思う。あえて特記したゆえんであ

東叡山寛永寺　1868年の彰義隊の兵火で焼失し川越の喜多院から移築されたのが中央奥の本堂。本堂の場所も移動している

る。まあ、私じしんは京都化をめざす幕府の意気込みも、強調したかったのだが。

明治の新政権が寛永寺の寺地を大きくとりあげたことは、さきにのべた。もちろん、この政変により、天台宗のなかで君臨する力を、寛永寺は弱めている。

しかし、第二次世界大戦での敗戦後は、その立場をもりかえした。どちらが、天台宗の頂点をきわめるのか。その座をめぐり、延暦寺とはけっこうもめている。末寺の住職まで自派にとりこもうとして、大騒動をくりひろげた。けっきょく、形だけは延暦寺をたてる方向で、寛永寺が鉾をおさめたのだと聞いている。

ざんねんながら、そこへいたるまでの詳細を、私はよく知らない。ただ、京都と東京のあいだで展開された宗門争いには、興味をもつ。事情通の方に、経緯をくわしく書いてほしいと、思っている。『仁義なき戦い　天台篇』というような本を。

今、うっかり両寺院の抗争を、京都対東京のいさかいとしてあらわした。なるほど、寛永寺の敷地は東京にある。しかし、延暦寺の境内は、ほとんど京都にふくまれない。滋賀県の大津市に、その大部分はぞくしている。ねんのため、のべそえる。

この延暦寺が、ユネスコの世界遺産に登録されている。京都を代表する十七点のひとつにえらばれ、国際社会から高く評価されてきた。そのことじたいは、めでたいと言うべきなのだろう。しかし、京都の文化財としてみとめられていることに、私は違和感をおぼえる。

あそこは京都じゃないと、京都人風の排他的な言辞を弄《ろう》したいわけではない。むしろ、逆である。延暦寺には、滋賀の寺という矜持《きょうじ》をしめしてほしかった。京都の世界遺産なんかには、くみこまれたくない。そう言いきり、京都をはねつけてほしかったと思っている。

――東銀座に想うこと

銀座は東京を代表する繁華街である。銀座という地名じたいが、ちょっとした銘柄になっている。地価も、おしなべて高い。なかほどにある四丁目あたりは、その公示価格で、例年日本一をほこってきた。

いわゆるブランド・ショップも、ここには軒をならべている。たとえば、ティファニーの銀座本店ビルが二丁目にある。そして、ビルの前には石碑がもうけられている。れいれいしく「銀座発祥の地」としるされた碑が、そこにはある。

見つけて、私は不快になる。この表記はまちがっている。銀座が最初にできたのは、ここじゃあない。なるほど、ティファニービルの前あたりには、旧幕府の銀座役所がおかれていただろう。しかし、そこから銀座がはじまったわけではない。えらそうに「発祥の地」を名のるなと、どうしても思ってしまう。

日本で最初に銀座が設営されたのは、京都南郊の伏見であった。できたのは一六〇一年、

東京・銀座にある「銀座発祥の地」の碑

関ケ原合戦の翌年である。

それまで流通していた極印灰吹銀には、品質のばらつきがあった。銀の産地ごとに、あるいは極印によっても、純度がちがっていたらしい。銀遣いの商取引は、それゆえにいろいろな困難をかかえていた。それらの問題を解消するために、幕府は伏見へ銀貨鋳造所をおいたのである。

そのころ、徳川家康は伏見城にいながら、政治をうごかしていた。当時の伏見は、天下統一の経済的な拠点としても位置づけられていたのである。

その後、静岡の駿府へうつった家康は、そこにも銀座をもうけている（一六〇六年）。

伏見桃山駅の近くに立つ伏見銀座跡の碑

これを一六一二年に江戸へ移転させたのが、今の東京銀座につながるそれである。ティファニービル前の銀座など、初代の伏見から見れば三号店でしかありえない。

ねんのため、伏見の地理を案内しておこう。銀座の現状も、紹介しておきたい。

京阪電車の伏見桃山駅は、銀座のもよりとなる駅だが、両替町《りょうがえまち》通のすぐ東側にある。その両替町通をはさむ東西の地所は、両替町という住所で登録されている。南側から両替町一丁目、二丁目とのびていき、北は一五丁目までつづく。南北に細長い町ができている。

ただし、大手筋より北側の四丁分は、両替町とよばれない。そこだけは、銀座《ぎんざ》町《ちょう》になって、南から銀座町一丁目、二丁目、三丁目、四丁目というふうに、ならんでいるのである。

両替町は四丁目でとぎれ、そのつづきは銀座町へと町名がかえられる。だから、両替町には五丁目から八丁目までが、存在しない。ようやく銀座町四丁目の北側から、両替町九丁目がはじまることになる。

ようするに、両替町は、その中央部で銀座町に分断されているのである。まあ、通りの名前は、銀座町を通過するところも、両替町通でかまわないのだが。

伏見に銀座町の名がのこる理由は、はっきりしている。ここへ銀座がおかれたことに、その名は由来する。両替町にはさまれているのも、銀貨での取引という歴史に、ねざしている。ここで両替のなされた痕跡が、町名にとどめられているのである。

事情を知らない人は、伏見にも銀座があると聞いて、しばしばかんちがいをする。地方

京都市伏見区
両替町と銀座町

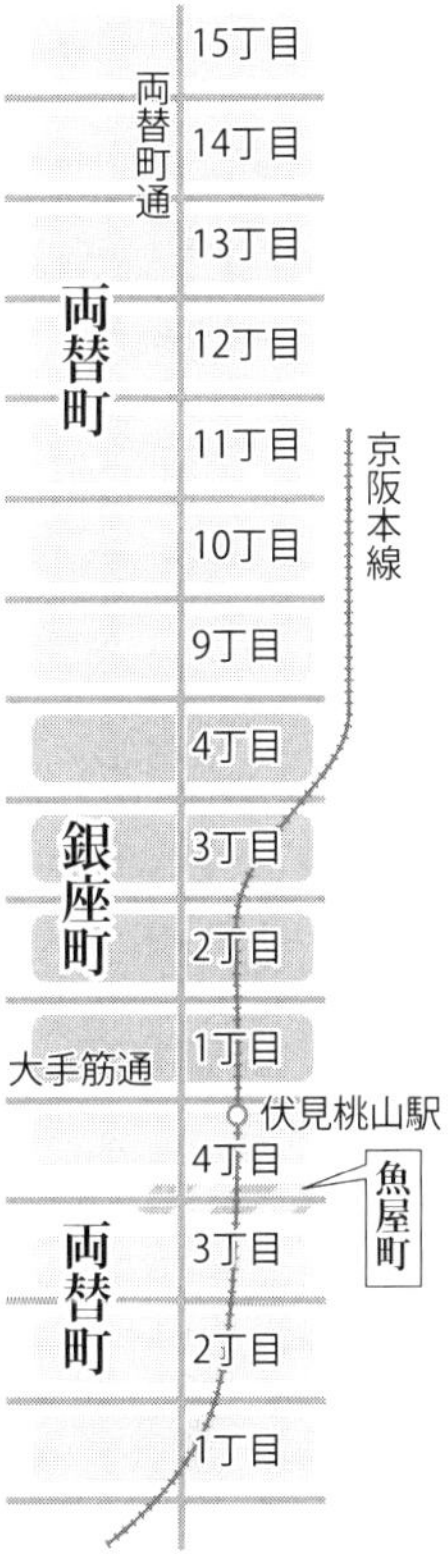

都市で、まま見かける○○銀座が、伏見にもあるのだ、と。首都東京の人びとなどは、それで伏見を見下すことにもなりやすい。あんがい、田舎なんだねというように。

ながらく、私はこういう反応を、とがめず聞きながしてきた。東京という地名を、東側の京都として想いうかべる人は、もうほとんどいない。それと同じで、多くの善男善女は、銀座の起源も東京だと考えてしまう。それも、やむをえないことだろうなと、あきらめてきた。

東京は、一極集中体制に君臨する首都である。国民の歴史像や地理観を、ゆがめてしまう力ももっている。伏見の銀座が地方銀座なみにあつかわれるのも、しようがないかなと受けとめてきた。

だが、ティファニーの前で「銀座発祥の地」を見つけ、私は考えをかえている。これは、すてておけない。なんとなく、東京で銀座は生まれたと思われているぐらいなら、まだ見すごせる。しかし、石碑までたてて、そうきめつけている光景を見てからは、ゆるせなくなった。そのあやまりは、ただされるべきだと思うにいたっている。

だから、くりかえしのべておく。銀座はティファニーの前あたりで、はじまったんじゃあない。その源流は伏見にある。見そこなうな、と。

歌舞伎座の前に、地下鉄の東銀座駅がある。日比谷線と浅草線がまじわるところにある駅は、そう名づけられている。あの近辺一帯も、正式な地名ではないが、東銀座とよばれているようである。

この呼称は、同じ東京銀座の西銀座と対をなす。かつて、丸ノ内線の銀座駅は、西銀座駅を名のっていた。その名ごりもあってのことだろう。今でも、あたりには西銀座を自称する施設、たとえば西銀座デパートなどが点在する。東銀座という通称は、うたがいようもなくこの西銀座とひびきあう。

そう、そのぐらいのことなら、わかっている。私も承知しているつもりである。にもかかわらず、私は東銀座の三文字に、まったくちがう構図を想いうかべてしまう。

銀座の本家は、伏見城のあった伏見にある。それと同じような施設が、あとで関東にもいとなまれた。東銀座という字面に、私はいやおうなく今のべた歴史を想いうかべてしまう。東国にできた後発の銀座だから、東銀座になったのだ、と。伏見稲荷の神霊を遠く東へつたえたから、東伏見稲荷が成立したように。

ついでに、あらいざらい書いておく。私の妄想は、もっとふくらむこともある。

私は地下鉄の東銀座駅をとおる時に、しばしば空想をめぐらせる。このあたりだけを東銀座とよぶのは、まちがっている。ほんらいは、東京の銀座そのものが、伏見の銀座を故地とする東銀座なんだ、と。

くりかえすが、こんな話のとおらないことは、じゅうぶんわきまえている。読者からあきれられることなど百も承知で、今の東銀座論は書ききった。ふだんは心の片隅にかくしてきた想いの丈を、あふれさせている。

ここまで書くよう私をつきうごかしたのは、例の石碑である。ぬけぬけと発祥の地を僭称する文句に、だまっておれなくなった。史実の訂正だけにとどまれず、言いかえしてやりたくなったまでである。売り言葉に買い言葉で、物言いがおおげさになったのだと思っていただきたい。

「京都ぎらい」を自称しながら、けっこう愛郷心があるんだな。そうひややかに、私の書きっぷりをからかうむきも、おられようか。

しかし、私は伏見のためを想うからこそ、あつくなっているのである。洛中から、あんなところは京都じゃあないと言われつづけてきた。そういう伏見をはじめとする洛外にたいしてなら、私は熱弁をふるえる。

京都洛中のために、これだけの論陣をはる気はおこらない。むしろ、洛中をめぐっては、東京の人びとにも、もっとあなどってほしいぐらいである。

私は洛中、あるいは洛中的価値観に敵愾心をいだいている。私が「京都ぎらい」という時の京都は、洛中しかしめさない。伏見もふくむ洛外にたいしては、あたたかい気持ちをいだいてきた。洛外の京都府は自分の郷里であると思っている。

余談だが、私は大阪のいわゆる都構想を応援している。ぜひ、実現させてほしいものだとねがってきた。じっさい、大阪が都になれば、府とよばれるところは京都しかのこらなくなる。京都府は唯一無二の自治体に昇格する。

これまで、全国の都道府県は「一都一道二府四十三県」と言われてきた。しかし、今後は「一府一道二都四十三県」になるかもしれない。都道府県という表記も、府道都県へかえられる可能性がある。京都府にとって、そう悪い話でもないと、ほくそえんでいる。

洛外や周辺市町が大半をしめる京都府にたいしてなら、私はそれだけの共感がいだける。

洛中さえはぶければ、「京都ぎらい」にならないことを、あらためてのべそえたい。

話を東銀座にもどす。この地名から、東国にできた後発の銀座を想いうかべる人は、少なかろう。首都東京には、ほとんどいないような気がする。私のことも、街で見かける「東」の文字に、過剰な反応をしめす奇人と思われようか。

そういう人びとに、言っておきたいことがある。

京都市の東端に山科区という行政区がある。もちろん、洛外に位置している。その山科に、出張所や営業所をかまえる企業は、少なくない。なかには、東京都営業所という看板をだしているところもある。

京都およびその近郊でくらす人たちは、これを東《ひがし》京都営業所だと、ふつうにうけとめる。ルビなどなくても、「ひがし」と読む。山科は京都の東側にあるから、こういう名称になったのだな、と。

しかし、他府県、とりわけ東京の人びとは、なかなかそこへ理解がおよばない。初見のさいには、どうしても東《とう》京都営業所として、うけとめてしまう。「東」の文字にたいする反応は、もちろん「西」でも、人によってことなる。そだった地域ごとに、くいちがう。

私の東銀座観も、そういう偏差の一例だと思ってほしい。

――京都の新宿

有楽町マリオン（有楽町センタービル）は、東京都千代田区の有楽町二丁目にある。丸ノ内線の銀座駅とJR有楽町駅の、ちょうどなかほどにそびえる商業ビルである。大小二棟のビルがならぶような格好で、それはたっている。

その大きいほうは、かつて西武の百貨店になっていた。今はルミネという企業に経営がうつっている。

ここが開業したのは、一九八四年であった。そのころ、西武は呼称を銀座西武にするつもりであったらしい。立地は有楽町だったが、銀座の百貨店を標榜《ひょうぼう》したがっていたと聞く。すぐとなりは銀座だから、それでもかまわないと考えていたようである。

しかし、銀座の商店街はそれをみとめなかった。あそこは、有楽町。銀座じゃあない。以上のような抗議を、西武側にはつきつけたのだという。地元のそんな猛反対で、けっきょく西武は銀座の百貨店になることを、あきらめた。有楽町西武、有楽町マリオンとして開業するまでには、そんな経緯があったらしい。

千葉県の飛行場が新東京国際空港（現在は成田国際空港）になることを、東京都はゆるしている。同じ千葉のテーマパークが東京ディズニーランドと自称することも、とがめなかった。あるいは、東京ドイツ村にたいしても。

くらべれば、銀座はかたくなであったと言うべきか。東京のほうが、よそものの東京という詐称には寛大であったと想う。銀座は、ごく近所の、それこそ隣接する施設が銀座と称することも良しとしない。それだけ自尊心の強い、えらそうな街区なのだと、判断する。その意味では、どこか京都と似ていなくもない。伏見や山科は京都じゃあないと考えている洛中と、銀座はどこかでつうじあう。

さて、銀座と有楽町の町境には、東京高速道路という高架道路がとおっている。このハイウェイは、そのまま銀座と新橋の境界線上を通過する。もともとは、江戸城の外堀、つまり水をたたえた大きな溝になっていた。それをうめたてた上に構築したのが、今の東京高速道路である。

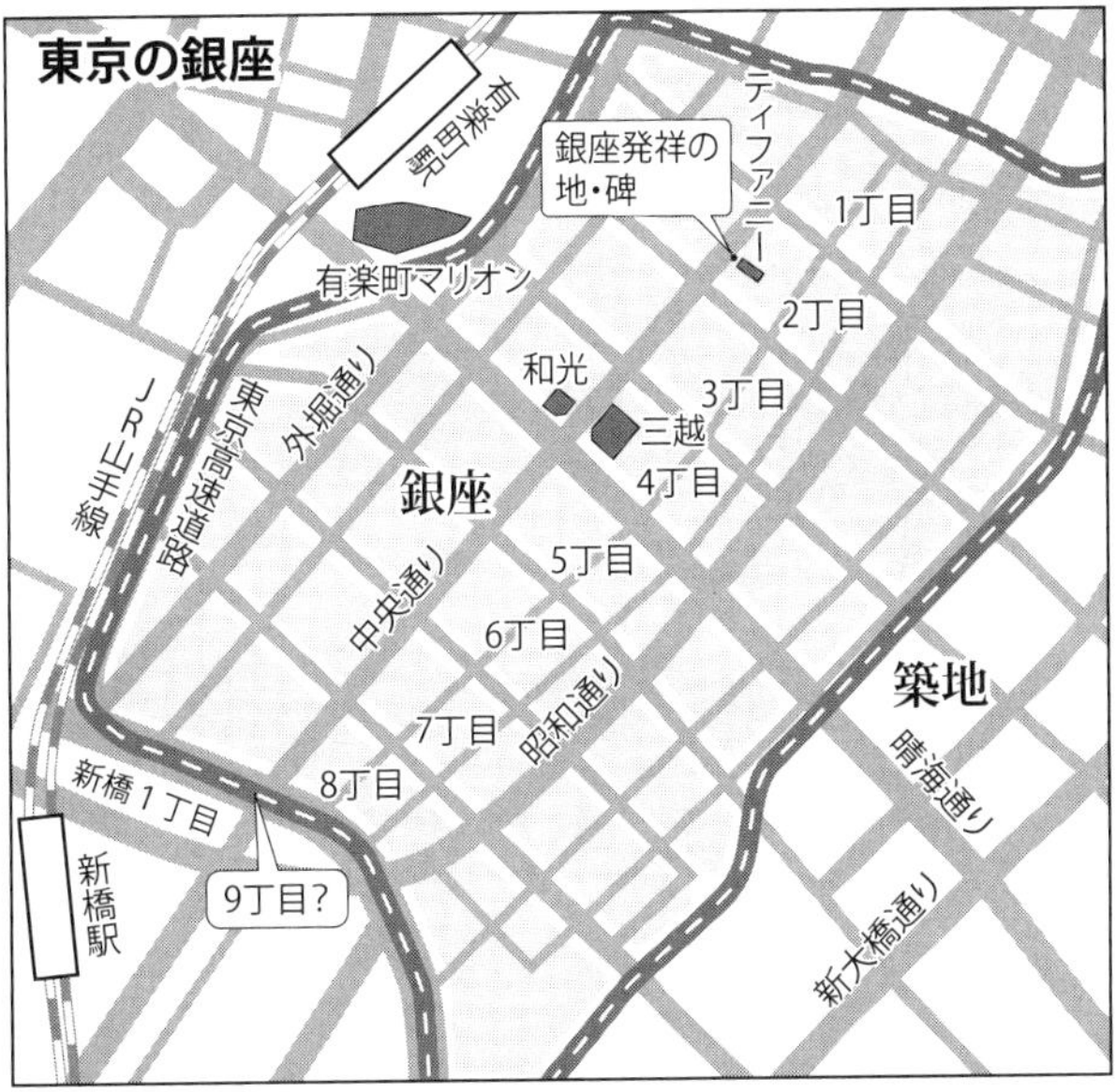

以前は堀だったせいだろう。高架下の地上には、正式の住所がない。今でも、行政上のいわゆる未整理区域になっている。そして、道路ができる前の外堀時代から、ここはしばしば銀座九丁目とよばれてきた。

周知のように、公的な銀座は八丁目までしかない。西北から東南へのびる帯状の地区割が、銀座ではならんでいる。一丁目から八丁目までが、並行的につづいていく。その銀座八丁目から外堀をこえてすすめば、新橋一丁目へでること

になる。そして、両者をへだてる堀の水面は、八丁目につらなっていた。

「銀座九丁目は水の上」という歌詞をもつはやり唄がある。藤浦洸が作詞を手がけ、神戸一郎がうたっていた。八丁目の延長上へ位置づけられそうな「水の上」を、銀座九丁目とはやしたのである。九丁目では、船にのってデートをしようというような唄であった。

外堀をうめた今でも、銀座九丁目というこの非公式的な名前は、のこっている。新橋一丁目と銀座八丁目のあいだには、銀座ナインという商業施設もある。このナインが銀座九丁目の「九」をさすことは、言うまでもない。

そして、銀座の商店街は、この九丁目という通称をとがめてこなかった。有楽町の店が銀座を名のるのは、みとめない。だが、新橋と銀座にはさまれた未整理区域を銀座とよぶことは、大目に見ている。住所不特定地帯にたいしては、寛容にふるまったということか。

いずれにせよ、その同じエリアも、新橋零丁目とは名づけられていない。境界線の呼称として導入されたのは、銀座である。新橋には、食指がうごかなかったということか。土地のよび名としては、銀座のほうが優先されたようである。新橋の名より銀座のほうが、魅力的にひびいたのだろう。

銀座ナイン　この上には高速道路がとおっている

そう言えば、銀座を僭称する繁華街は、ひところ全国に散在していた。東京の銀座にあこがれ、その名を勝手にとりいれた街区が、あちこちにあったものである。

このごろは、その数がへりだしている。地方の繁華街が銀座になびく時代は、もうおわったような気もする。しかし、二〇世紀のおわりごろまで、銀座の名は圧倒的な輝きをはなっていた。安藤更生の名言をかりれば、銀座は日本を代表する「都会生活の檜舞台」だったのである（『銀座細見』一九三一年）。

じっさい、しばしば日本人は海外の商店街にも、銀座の名をあたえてきた。たとえば、モスクワのトゥベルスカヤ通りをモスクワ銀座とよんでいる。北京の王府井街《ワンフーチン》も、北京銀座の名で話題にあがることがある。

首都のメイン・ストリートは、銀座の名にあたいする。そんな銀座観が、多くの海外日本人駐在員にわかちあわれているらしい。やはり、「檜舞台」は銀座であるということか。

しかし、パリのシャンゼリゼ通りをパリ銀座とよぶことは、まずない。シャンゼリゼと銀座は、友交提携関係をたもっている。たがいの交流も、つづけているはずである。にもかかわらず、パリの日本人駐在員はパリ銀座と名づけることを、さけてきた。

おそらく、シャンゼリゼのほうを格上だととらえているせいだろう。日本の「檜舞台」も、パリへいけば位負けをしてしまう。シャンゼリゼの銀座よばわりは、ためらわれたということか。銀座ふぜいが、シャンゼリゼ様の名をけがすことはできない、と。

パリまでいけば、銀座の名はもちだせない。しかし、モスクワや北京では、メイン・ストリートにその名をおしつけることができる。それくらいには、日本人のあいだだけにかぎるが、銀座も輿望《よぼう》をになってきたのである。

いずれにせよ、銀座の名は日本各地の商店街で、愛用されてきた。海外でも、日本人たちが呼称にもちいることはある。そして、東京の銀座も、とくだんそのことをやめさせようとはしていない。あちらこちらで銀座の名がとびかうことを、黙認してきた。

有楽町の西武百貨店が、銀座を自称したがった気持ちも、わからないではない。銀座を標榜するところは、そこらじゅうにある。うちも名のって、何が悪いのか。ましてや、うちは有楽町のなかでも、いちばん銀座寄りのところに位置している。そんな気分はいだいていただろう。

いっぽう、銀座の商店街は銀座脇という敷地の近さに、こだわったような気がする。他府県の銀座にたいしてなら、どうぞお好きにと、ゆとりをもってかまえられた。だが、有楽町のいちばん銀座側という立地には、かえってわだかまりをいだいてしまう。

最接近した場所であるからこそ、けじめをつけておかなければならない。あそこは有楽町である。銀座ではないと、釘をさしておく必要がある。以上のような判断が下されたのだと考える。

さて、京都には銀座を名のる商店街がない。今にいたるまで、存在しなかった。伏見に銀座町はある。だが、こちらは東京銀座の本家である。そして、伏見は京都にふくまれない。洛外の地である。だから、くりかえし書いておく。京都に銀座の名をかりた商店街はないし、なかった、と。

このことを、京都中華思想の持ち主である梅棹忠夫は、ほこらしげに書きつける。

「『東京の銀座を、なんで京都にもってこんならんのか』という気もちは、京都のひとにはあるであろう」（『京都の精神』一九八七年）。

京都は東京の風下になどたたない。銀座ごときにあやかる必要はないだろう。そう高らかに書いていた。

梅棹からの引用をつづけるが、河原町《かわらまち》を京都の銀座とする話も、あったらしい。私は知らなかったが、梅棹はこう書いている。

「東京のまねをして河原町銀座と名のろうという案があったが、市民の抵抗にあい、きえさった。いいだしたのは他郷からきたひとだったろうが、まずいことをいったものだ。京都人のいちばんきらいなことなのだから」（『梅棹忠夫の京都案内』一九八七年）。

京都で銀座はありえないという。だが、私はおぼえている。四条大宮の商店街が、ひところ京都新宿商店街と名のっていたことを。銀座になびいたところはなかったかもしれない。だが、新宿に追随したところは存在した。しかも、洛中の四条大宮が、東京新宿の御威光に屈していたのである。

今、阪急電鉄は延長され、河原町通にまで、とどいている。しかし、以前は四条大宮が終点になっていた。また、ここからは今でも京福電鉄が発車する。もう廃止されたが、かつてはトロリーバスの起点も、同地になっていた。

いずれも、西郊へむかう交通機関である。そして、東京の新宿も西へおもむく路線のターミナルになっている。西武線、京王線、小田急線などなどの。

その意味で、一時期までの四条大宮には新宿の縮図めいたところがあった。その類似性をよりどころとして、地元は京都新宿を界隈《かいわい》の名前にしたのである。東京の本家である新宿を、うやまって。

もちろん、そのことは梅棹もわきまえていた。京都に銀座がないことを論じた同じ文章で、京都新宿の存在をみとめている。以下のように、くやしそうな口ぶりで。

「四条大宮《しじょうおおみや》の商店街が一時期、京都新宿商店街という名をつけたことがある……しかし、京都では相手にされず、とっくにきえてしまった。京都で、東京になぞらえて命名して、成功したという例をわたしはしらない」(前掲『京都の精神』)。

四条大宮が新宿の名をとりさげたのは、京都的なプライドのせいだけでもないだろう。阪急が、より東側の河原町までひきのばされた。トロリーバスが消滅を余儀なくされている。そんな時代をむかえ、四条大宮はターミナル的な役目を弱めだす。新宿的な街では、なくなった。その趨勢もまた、京都新宿の名を返上させることに、つながったろう。

いずれにせよ、四条大宮あたりの京都人は、一時期東京にあこがれた。東京にあやかる地名を、いただいていたのである。私はそのことを、なによりも強調しておきたい。

京都人の自尊心ばかりを強調しやすい梅棹に、少しはむかった。この一文に、私は洛外者としての毒もこめていることを、ことわっておく。
○○銀座は、東京の模倣だから、京都人にきらわれる。ただ、そう言うだけで、最初の起源が伏見にあることは、見すごしてしまう。洛中でよく見かけるそういう手合いに、あらがいたかったのだと言うしかない。

——京の一字にこだわる街

二〇〇一年に成立した西東京市は、東京二十三区からはずれている。それでも、新しい市の名称に、東京の二文字をくみこませた。首都東京の一画を、わが街はなしている。そこをわかってくれ。以上のような想いをあふれさせた市名だと言える。

しかし、〇東京、〇〇東京といった名前の都市があるのはここだけである。東京都下に、奥東京市や武蔵東京市と名づけられた自治体は、存在しない。ただひとつ、西東京市のみが、「東京」を、市の名にそえている。まあ、今後の地区改変で、多摩東京めいた市名があらわれないとは、断言できないが。

いっぽう、京都府下には京の字を冠した市や町が、けっこうある。京田辺市、京丹後市、そして京丹波町などである。

いずれも、京都の洛中からは、ずいぶんはなれている。洛中のえらそうな人たちが、ぜったいに京都だとはみとめない地域の自治体である。それでも、少なからぬところが、京なにがしを名のっている。

京田辺市は、京都市と奈良市のなかほどにある。以前は田辺町として、町制をしいていた。市に昇格したのは、一九九七年である。しかし、新しい市の名を、そのまま田辺市とするわけにはいかなかった。和歌山県に田辺市があったからである。そことの差異化をはかるために、京田辺の名はえらばれた。若狭湾ぞいの田辺が、同じような状況下に、舞鶴となったことは紹介ずみである。

二〇世紀末に京田辺へ改名した田辺は、和歌山県田辺市の北方に位置している。新市名を、北田辺市とする手はあったろう。あるいは、新田辺でもかまわない。じっさい、市の中心にある近鉄の駅名は、新田辺となっている。JR片町線のそれは、京田辺を名のっているが。

東京の東久留米市は、福岡県久留米市におくれて市制をしいた都市である。そして、後発の東京側は、東側の久留米として、東久留米市を自称した。東京久留米市や久留米東京市などという名前には、していない。そして、同じような選択は、田辺の場合でもありえたろう。

しかし、田辺はそれまでの名に京をかぶせている。やはり、京という文字への執着は、それだけ強かったのだと考える。

京丹波町は京都府の中西部に位置している。二〇〇五年に、それまでの三町が合併して成立した。京丹波という町名は、そのおりにきめられている。

江戸時代には、丹波国へくみこまれていた地域である。だが、近代化の過程で旧丹波国は、兵庫県側と京都府側にわけられた。その兵庫県側で、二〇〇四年に丹波市ができている。京丹波町の町名は、そこととの区別をつけるために、ひねりだされていた。

兵庫にできた丹波市の、ちょうど東側である。新しい町名を東丹波にする途はあったろう。あるいは、新丹波でもかまわなかったはずである。しかし、最終的には京丹波の名がえらばれた。ここでも、京を名のりたいという想いがはたらいたのだと考える。

京都側の丹波は、マツタケやクリがよくとれるところでもある。そのブランド化も、京という文字にはたくされていただろう。京野菜のひびきともつうじる地名をもとめて、今の名におちついたのではないか。

京都府の北部に京丹後市が生まれたのは、二〇〇四年であった。これも、古い町をあわせて、新しく市制のしかれたところである。その合併時に、京丹後という市の名は、きめられた。

とはいえ、他府県に丹後とよばれる都市はない。京田辺の場合は、和歌山に田辺市が存在した。京丹波に関しても、兵庫で丹波市ができている。差異化をもとめて京の字を頭へのせるという言い分が、とおらないわけではない。しかし、ほかに名前の重複する都市がない丹後は、丹後市になってもよかったはずである。

のちに京丹後市となる町では、新しい市名の全国公募もやっていた。それで、いちばん多くの票をあつめたのは丹後市である。京丹後市ではなく、ただの丹後市が一等にえらばれた。

にもかかわらず、最終的には京丹後市で、新しい都市名は決定されている。よほど、京の一文字を地元の人たちはいれたかったんだなと、かみしめる。

くりかえすが、洛中の京都人は丹後や丹波、そして田辺を京都とみなさない。だが、周辺の自治体は、しばしば京都にあやかり京なにがしを名のりたがる。京○○になろうとする。私には、そのことがせつなくてならない。

京丹後などの出現は、いやおうなく京都人を増長させるだろう。あんなところまで、京なんとかて言いたがったはんの。えらい、京都にあこがれたはるんやなあ。そんな自慢の鼻を、ますます高めると思う。「京都ぎらい」の私には、不快な事態である。京丹後の類はやめてほしかったなと、もうどうしようもないが、ざんねんがっている。

さて、京丹波町の東南には、南丹市という都市がある。園部町と八木町などが合併して、やはり新しく市制をしいたところである。丹波の南側ということで、この南丹という市名はもちだされた。京の字にとりこまれない、いさぎのいい名前として、私は評価する。このごろは、ちょっとした南丹市のファンにもなっている。

京都の自治体であることをしめしたくて、名前を京なにがしにしてしまう。二〇世紀のおわりごろから顕著になりだしたそんな傾向を、ここまで論じてきた。しかし、この勢いじたいは、もう少しはやいころからはじまっている。

たとえば、一九七二年に長岡京市が誕生した。新しい市名に京の字をそえる、そのさきがけではあったろう。

こう書けば、多くのかたが違和感をいだかれようか。長岡京は、平安京ができる前にいとなまれた。都の座は、平城京から長岡京にうつり、そのあとで平安京へうけわたされている。長岡京は平安京の先輩格になる旧都である。長岡京の名も、古くからある。京都との親縁性をあらわしたくて、京の字をとりいれたわけではないだろう、と。

しかし、王城の地であった長岡京が、今の長岡京市に、そのままふくまれるわけではない。かつての長岡京は、もっとひろい範囲へまたがっていた。現在の向日《むこう》市、京都市の南区と伏見区、さらに乙訓《おとくに》郡の大山崎町《おおやまざきちょう》、そして長岡京市へ。長岡京市は旧都の一画しか、その割合は小さくないが、しめていない。

しかも、王城の中枢をなす大極殿は、北どなりの向日市におかれていた。阪急西向日駅の、すぐ北側に位置していたのである。今、そのあたりには、大極殿公園がもうけられている。大極殿跡や朝堂院跡という碑をたてているのは、向日市の文化財調査事務所である。長岡京市の文化財担当部署ではない。

長岡京市は長岡町が昇格して、市になった。もともとの町名は長岡である。長岡京ではない。ただ、市制へ移行するさいに、そのまま長岡市となることは、かなわなかった。新潟県に、長岡市という先行者がいたからである。京都府の長岡町は、新しい名前を見つくろわなければならなくなった。

　のちに、丹波や田辺は、同じような状況をむかえ京丹波、京田辺となっている。長岡にも、京長岡となる手はあったろう。しかし、長岡はその名をえらばなかった。千二百年も前の長岡京へ目をつけ、そちらを名のることにしたのである。二〇世紀後半までつづいた地域の名は、ただの長岡だったのに。

　長岡京市には、長岡小学校や長岡中学校がある。小学校名は長岡第三小学校から第十小学校まで、そろっている。中学校のほうは、第四中学校まで市中に点在する。しかし、長岡京小学校や長岡京中学校は、まだない。地名としての由緒は、長岡のほうが古いことを、これらの学校名はしめしている。長岡京が新出来の名称でしかないことも。

　そもそも、街のシンボルとも言うべき神社の名は長岡天満宮である。長岡京天満宮ではない。ほんらいは、長岡とよぶべき街であることが、よくわかる。

　それでも、このごろは行政に近い施設が、長岡京という名をつかいだしている。長岡京記念文化会館や長岡京インターチェンジなどが、散見されるようになってきた。もちろん、長岡自動車教習所や長岡スイミングスクールなども、まだ健在である。

いずれは、新参者である長岡京のほうが優勢になっていくのだろうか。マンション名では、長岡京を名のるほうがふえているようである。ハイツ長岡京、ハイコーポ長岡京、ローレルスクエア長岡京、などなどと。

二、三年に一度ぐらいのペースで、私はあのあたりをおとずれる。そうしたおりには、いつも長岡京と長岡の盛衰を、くらべてきた。それが、散策のささやかな娯楽になっている。ひそかに、長岡がんばれと念じていることも、のべそえたい。

――祇園が東京に？

京都市の西南に、西京《にしきょう》区という行政区がある。苔寺《こけでら》として知られる西芳寺や桂離宮、そして嵐山などをふくむエリアである。もちろん、京都人からは、同じ京都としてみとめられていない。洛外の一画をなす区域である。

もともとは、右京《うきょう》区にくみ入れられていた。だが、一九七六年に同区は南と北へわけられる。その北側は、以前とかわらず右京区という区称を継承した。いっぽう、南側には新しい区の名がつけられている。西京区は、そのおりにあたえられた新呼称である。

京都市には、東西南北の方位を冠した行政区が、それぞれある。北区、南区、東山区、そして西京区の四つである。

いちばんさきにできたのは、上京《かみぎょう》区から独立した東山区であった（一九二九年）。北区と南区は一九五五年に、それぞれ上京区と下京《しもぎょう》区からわかれて成立する。一九七六年に出現した西京区は、くらべると新しい。東西南北の一字を区名の頭にいただく行政区のなかでは、新参者だと言える。

さて、北区や南区、そして東山区は京の字をふくまない。西京区のみが、区名に京の字をそえている。いちばん新しい西京区だけが、京都の区域であることを、その字面であらわした。

先輩格である北区や南区にならい、西区とする手もあったろう。東西の対をなす東側の行政区は、東山区を名のっていた。これを手本として、西山区になってもよかったはずである。

じっさい、今の西京区はその西側に、西山《にしやま》とよばれる山々をひかえている。そのようすは、東山の山々が東側にならぶ東山区と、ひびきあう。西山区は、そう悪い区名でもなかったはずである。

京都市の中京区《なかぎょう》には、西ノ京という地区がある。街を歩くと、西ノ京西月光郵便局や西ノ京内畑郵便局に、でくわしもする。西ノ京スカイハイツというマンションも、見かけたことがある。

中京区にぞくする西ノ京は、平安京の西端あたりにひろがっている。西ノ京という名も、ルーツは平安時代にある。古式ゆかしい地名である。

そんな西ノ京と、苔寺のある西京区は、かさならない。いちばん近いところでも、二キロ以上はなれている。そして、西京区の西京と中京区の西ノ京は、たがいに名前が似ていてまぎらわしい。その点からも、西京区は西区や西山区にしたほうがよかったかと思う。にもかかわらず、西山連山のふもとに位置する新しい行政区は、西京の名を選択した。やはり、京の字にあこがれる例の機微がはたらいたせいかと、考えたくなってくる。

くりかえすが、長岡町は一九七二年から長岡京市になった。あんな街はずれでも、失礼な言い方だが、京の字をつけている。以上のような想いも、より洛中に近い旧右京区南部を、西京区へとかりたてた。西山やただの西ではない、西京へとなびかせたのかもしれない。西京区の成立は、長岡京市誕生の四年後である。

ここまで書いておきながらなんだが、べつの見方もありうる。そちらの説明も、しておこう。

京都市には、古くから上京区と下京区があった（一八八九年〜）。中京区ができたのは、一九二九年である。その同じ年に左京区と東山区も、なりたっている。

東山区以外の行政区は、当時みな京の字をあしらっていた。上京、中京、下京、左京と命名されている。下京区から分区した東側だけが、京の字をそえなかった。京都市の行政区で、最初に京の字をつかわなかったのは、東山区なのである。

上京、下京と同じような区名を考えた人も、なかにはいたろうか。東の字に京の字がつづく区名を、見つくろおうとした人も。そして、その人はすぐに了解しただろう。そんなことをすれば、新しい区の名は東京区になる。京都市東京区ができてしまう。これはまずい、と。

京都市役所にも、同じことを考えた人はいただろう。そして、やはりこの命名はためらったにちがいない。当時の東京府を、東京都の成立は一九四三年だが、京都側も気づかったはずである。

もし、東京区ができておれば、東山区役所は、必然的に東京区役所となる。消防や警察の東山署は、東京署とよばれていたはずである。東山女子学園は、東京女子学園になっていた。祇園は東京を代表する花街だったかも……。まだまだ、この調子で話をすすめることはできるが、もうやめよう。きりがない。

ともかくも、京都市は東京区の登場を良しとしなかった。新しい区の名は、上京、下京という慣例に背をむけ、東山としている。当該の区域が東山三十六峰の裾野にあることも、この名をえらばせたと思う。しかし、首都東京との重複をはばかったことも、要因のひとつにあげうるのではないか。

さて、北区と南区ができたのは、ともに一九五五年のことであった。これも、北京区や南京区にする選択肢は、ありえたと思う。それまでの行政区で京の字をさけたのは、東山区と伏見区だけだったのだから。ついでにしるすが、山科区が東山区からわかれて出現したのは一九七六年である。

くりかえすが、京都に北京区と南京区は成立しなかった。ひょっとしたら、中国の北京市や南京市に、気をつかったのかもしれない。同じ名はさけようとする配慮が、外国の都市にたいしてもはたらいた可能性はある。

京都は観光客が、おおぜいくる街である。中国人も多い。このごろは、市中のあちこちで中国語を耳にする。北京からくる人だって、少なくないだろう。

そんな彼らも、京都で北京区役所を見れば、おもしろがったのではないか。山口から鳥取、岡山までが中国地方とよばれることへ、強い関心をしめすように。京都で発見した北京の感想などを、土産話として本国へもちかえったような気もする。

中国の北京には、紫竹院路という通りがある。京都市の北区にも、紫竹通はある。こういうぐうぜんの一致を、北京市民はたのしそうに地元へつたえたかもしれない。京都の北京にも、紫竹という名の道路があったよ、と。

北区が北京区になっていたら、ゆかいであったろう。北区でおさまったのはざんねんである。ここまで、そんな書きっぷりを、私はしめしてきた。しかし、こういう考え方を、官庁づとめの人たちはうけつけまい。混乱が少しでも予想しうる事態は、いやがるだろう。

北京区や南京区も、官僚的にはありえない命名だと言うしかない。北区や南区という名は、あたりさわりのないおとしどころであったということか。

ただ、西京区の場合は、名前のかさなる先行例が見いだせない。中京区にある西ノ京とはまぎらわしいが、区別をすることも可能である。中国に北京と南京はあるけれども、西京《シャアキン》は存在しない。西京区の名で官僚たちの合意がとりつけられたのも、そのためではなかったか。

じつは、韓国のソウルに、西京《ソギョン》大学校という私立の大学がある。古い歴史をもつ大学だが、名称を西京にしたのは新しい。一九九二年からである。京都の西京区は、その十六年前にできている。京都側がこの大学に遠慮をして、西京の名を控える必要はなかったはずである。

とはいえ、たがいの名がまぎらわしいこともいなめない。日本ではソウルの大学を西京《せいけい》大学校とよびならわしている。

なお、この大学が西京の名をえらんだのは、校舎移転のせいである。西京路《ソギョンロ》のそばへうつったために、西京の大学校を名のりだした。言葉をかえれば、西京という名の道路は以前からあったようである。しかし。そこまでは京都市も、気をつかわなかったということか。

さきほどは、西京区が京の字に強くこだわったということで、事態を説明した。東山区や北区、南区が登場したころには、まだその執着が、さほど首をもたげていない。しかし、西京区のできた一九七〇年代には、○○京への拘泥が顕在化されていく。それで、後発の西京区だけが京の字をとりいれたのだと、のべている。

だが、あまりそのことを、強調しすぎるべきではなかったかもしれない。東山区などには、○京区となれない個別の事情があった。そして、西京区だけは、そうした状況からまぬがれている。だから、西京区を名のれたのだという読み解きも、ありうるだろう。

私じしんは、今のべたばかりの解釈に、ひかれているところである。

――文京区と東京湾

京都市には、なにがし京区、○京区という行政区が、いくつもある。上京区、中京区、下京区、右京区、左京区、そして西京区が、そうなっている。京都市は合計十一の行政区をたばねる政令指定都市である。そのうちの過半数をしめる六区が、〇京区と名づけられている。

こういう区名をもつ都市は、ほかにほとんどない。京都市だけが、〇京区という名称を、複数の行政区にあたえている。京都市ならではの命名だと、おおむね言ってよい。

今、「ほとんど」とか「おおむね」といった副詞を、文章にそえた。やや、歯切れの悪い書きっぷりになっている。それは、〇京区を名のる区が、京都市以外の都市にも、ひとつだけ存在するからである。

東京の人なら、すぐに了解するだろう。そう言えば、東京大学やお茶の水女子大学のある区は、文京区を名のっている。あれも、〇京区という区名のひとつにあげうるな、と。

京の字を下にそえる区名が出現したのは、京都市の上京区と下京区をさきがけとする。両区は、どちらも一八八九年に、この名で成立した。中京区と左京区ができたのは一九二九年である。右京区は、少しおくれて一九三一年に形成された。

このころだと、〇京区の名をもつ行政区は、まだほかの都市に見あたらない。東京都の文京区は、ようやく一九四七年に登場した。古くからある本郷区と小石川区が合同して、文京区になったのである。まるで、先行する京都市の○京区を、まねたかのように。

文京の名をひねりだしたのは、旧小石川区の職員たちであった。東大やお茶女大をはじめ、文教施設が新しくできる区にはあつまっている。そのようすを明示したくて、この名をえらんだのだという。

あらためてつくられた「文京区歌」は、こううたいあげていた。

「ここは学びの土地にして……都は文化の中心地　わが区は都の文京区」（佐藤春夫作詞）。

だが、「学びの土地」なら、文教区でもよかったはずである。どうして、「教」の字を「京」へかえて、文京区にしたのか。「わが区は都の……」と、区歌にはある。ひょっとしたら、ほんとうに京都市の○京区を手本としたのかもしれない。あるいは、京都市出身の区役所職員が、提案したのだろうか。

ねんのため、『文京区志』（一九五六年）や『文京区史』（一九六七年）を読んでみた。しかし、文教ならぬ文京となった事情は、ひとことも説明されていない。京都市の上京区や下京区にあやかったのかどうかは、不明である。

いずれにしろ、私はこの名に不満をいだいている。自尊心の強い京都人が、ますます鼻を高くしかねないからである。たとえば、つぎのように。

文京区やて、おかしな名前やな。京都の区といっしょやん。東京の人も、京都にあこがれたはるんやろか。田舎の繁華街がなんとか銀座て、よう言《ゆ》うやろ。あれと、かわらへん……。

もちろん、文京区という命名の背景に京都への憧憬《しょうけい》があったと、きめつけはしない。しかし、この名前には、京都人の優越感をふくらませそうなところがある。京都はえらいと言える材料を、鵜《う》の目鷹《たか》の目でさがしている。そんな京都人に、好餌《こうじ》をあたえかねない名称だと、考える。

旧小石川区と旧本郷区の人びとには、ほかの名をえらんでほしかった。じっさい、この新しい区名をいやがった人は、東京にもけっこういたのである。作家の中野重治が、以下のような声も当時はあったことを、自作の小説に書いている(『甲乙丙丁』一九六九年)。

「何でまた文京区なんて馬鹿な名を思いついたのかいな」

「三田派の作家とか早稲田の学生とかいう。……『文京の学生』、まして『文京派の作家』

なんてことが言葉になるもんか」

新しい区の名がきまる前に、地元の『東京新聞』は、名称の一般公募をこころみた。住民からは、春日区、湯島区、富士見区、音羽区、山手区……という案がよせられている。いずれも、地域の人びとに、以前からなじまれてきた名称である。

しかし、たとえば春日区にしてしまうと、湯島や音羽あたりからは反感をいだかれよう。山手区になっても、山手とは言いきれない地域の共感がえられない。そんな事情で、やや抽象的な文京区案はひねりだされたのだろうか。まあ、その抽象性が、「なんて馬鹿な名」という悪評にもつながったのだろうけど。

今の文京区は、千代田区の北側に位置している。皇居、つまり千代田城の北へひろがる地区である。

ならば、私ごときが言うのはおこがましいけれども、あえて書く。城北区とする手もあったのではないか、と。これならば、春日、音羽といったせまい範囲をこえるひろがりも、しめしうる。『東京新聞』へよせられた案のなかにも、城北区の名はあった。悪い案ではないと思うのだが。

とはいえ、今さらそんなことを言ってもはじまらない。もう、七十年以上、東京都民は文京区の名をつかってきた。あらためて、これをかえる必要はないだろう。しかし、京都人が、この名でほくそえみつづけているだろうことは、のべそえたい。

東京の話を、角度はかえるが、つづける。

東京という名が、明治維新でできたことは、何度ものべてきた。それが、もともと東側の京都という含みをもつことも、説明ずみである。

これと同じ東京という地名は、そのころ海外にも、ひとつだけだが存在した。ごぞんじだろうか。ベトナムの北辺あたりは、当時東京《トンキン》と表記されていたのである。

中心都市のハノイを流れる川は、今のソンコイ川だが、東京河と称された。外海にむかってひろがるのは東京湾である。平地の名前も、東京平野だとされた。ハノイを拠点とする地域は東京と書かれ、西洋人もトンキンとよんでいたのである。

一五世紀初頭に、ベトナム北部を支配する大越国は、のちのハノイを東都とした。西都であったフエとは対になる名を、あたえている。その東都を黎太祖《レータイト》は東京と改名した。そう、東京はハノイの旧称なのである。

それを、西洋人たちは、よりひろい周辺部までふくむ地域名にあてている。東京湾、東京平野というように、範囲を拡大して使用した。

フランスの軍隊は、一八八二年にベトナムの北部を占領している。この事態も、つぎのように言いかえることは可能である。仏軍は明治一五年に、東京へ進攻した、と。

いずれにせよ、今は、もうこの名をつかわない。しかし、フランスの植民地であったころまでは、トンキンを地名としたのである。いや、二〇世紀の後半になっても、それは通称でありつづけた。一九六四年にも、いわゆるトンキン湾事件がおこっている。これを、アメリカがベトナム戦争へ介入する口実としたことは、周知の事実である。

日本では、一八六八年に江戸を東京へあらためた。ハノイ一帯が東京とするされた時期に、同じ名前をあてている。おそらく、維新のどさくさで、ベトナムの東京にまで気をくばる余裕は、なかったろう。

あちらのほうが、同じ東京という名の先輩ではあった。だが、そういう国際的な名称の重複には、配慮しきれない。国内的な事情だけで、東京への改名はおしきったのである。

ついでにのべるが、ハノイという都市は漢字で河内《ハノイ》とするされる。私が一九九〇年代に、同市でとまったホテルも、「河内大酒店《ハノイホテル》」という看板を下げていた。ベトナムが、まだ漢字をつかっていた時代から、この宿は営業をつづけている。そんな来歴をほこりたくて、漢字の屋号も表示したのだろう。

河内の名は、ソンコイ川（旧東京河）の内側という地理上の位置に、由来する。その点では、大阪の河内《かわち》ともつうじあう。ここもまた、淀川の内側にひろがることから、そう名づけられた。

さきほど、東京のことをハノイの旧名だと、私は書いている。言葉をかえると、河内は東京の後裔《こうえい》だということになる。

東京が河内に変貌《へんぼう》する。ベトナムのそんな歴史を、日本の東京でくらす人びとは、どううけとめるのだろう。河内の人たちは、聞かされて、どんな感想をいだくのか。いちど、たずねてみたいものだと思っている。

五　老舗の宿命

――ベストは同志社

私は若いころに、建築学をまなんでいる。京都大学の工学部建築学科に、かよっていた。いずれ建築家になると、そのころは想っていたものである。

四年生の時に、町家の調査をてつだったことがある。一九七七年のことである。まだ当時は、いわゆる京町家が、洛中にも今より多くのこっていた。その写真撮影や実測に、私の所属していたゼミはのりだしていたのである。

町家ぐらしの実情に関する聞き取りも、このグループはこころみた。居住者には、けっこうめいわくをかける調査であったと思う。

住み手の多くは、たいしていやがりもせず、家を見せてくれた。しかし、私たちへむけて不快感をにじませた人が、いなかったわけではない。往来からイケズ口《ぐち》を聞かされたこともある。たとえば、こんなふうに。

「君らは、京大の子らしいな」

――ええ、そうです。

「君らは知らんかもしれんけど、言《ゆ》うといたるわ。ここいらあたりではな、息子が京大へはいったりしたら、まわりから同情されるんや。気の毒やなあ言うて」

洛外の嵯峨でそだった私は、京大への入学がきまった時に、近所からほめられた。章ちゃん、ようがんばったなあと、声をかけられている。私だけではない。家族も、とりわけ母は、おめでとうという言葉を、いくつもまわりからもらっていた。

だが、京町家のならぶ街中《まちなか》では、かならずしもそうならない。子息が京大へうかった家は、周囲からあわれまれることがあるという。その理由が、しかし最初、私にはよくわからなかった。けげんそうな表情を見せてしまったせいだろう。路上からしゃべりかけてきた人は、事情をつぎのように説明してくれた。

「京大なんかに入る子はな、京都にいつかへん。卒業したら、遠いとこへいってしまいよる。店もつがへんやろ。気の毒がられるて言うのは、そういうことや。かわいそうに、あの店、もう跡取りがおらんようになったな、ちゅう話や」

嵯峨にも、古くからつづく老舗は、点在していたと思う。後継者の問題で頭をなやます家が、なかったとは思わない。しかし、そういった家々の悩みは、あまり近所でわかちあわれていなかった。

私のくらしていたエリアで多数をしめていたのは、いわゆるサラリーマン家庭である。ひきつぐような家業はない。子女たちは、自分の手で自分の途をさぐらねばならないような家が、むらがっていた。だから、受験でのサクセス・ストーリーは、基本的にめでたく思われたのである。よかったね、と。

だが、洛中の商業地はちがう。多くの家が、家業の継承を最重要課題としてきた。とうぜん、近隣で共有される価値観も、店の永続を良しとする方向でまとまるようになる。

京大へ入学をするような息子は、家出をしてしまいかねない。この言いっぷりも、今のべたような考えにねざしていただろう。じっさい、京大の卒業生は、ほとんど京都にのこらない。たいてい、東京や大阪などにでてしまう。

そして、その実情をわれわれにつげた人物は、さらにこう言葉をつないで言った。

「あのな、勉強ができることじたいを、悪いと言うとるんやないで。頭がええっちゅうのは、けっこうなことや。そやけど、京大はあかん。あんなとこ、いかんでええ。大学いく

同志社大学今出川キャンパス　正面はチャペル

んやったら、同志社ぐらいがころあいや。あそこやったら、店の跡取りもぎょうさんおる。気のあう仲間が見つかったら、店をついだあとのつきあいにも、都合はええやろ」

　この指摘を、同志社の学生や先生、そして卒業生は、どう受けとめるだろう。また、それを京大のOBである私が書きたてたことは、どんな反響をよびおこすか。想定しうるその反応、あんなこと書きやがってという声に、私はややひるんでいる。前著の『京都ぎらい』では、おびえて言及を自粛した。

　だが、今度の本で、私は退路をたっている。学歴をめぐる、いささかいやらしい話も、おめずおくせず書きとめたい。

大学受験にむかっていたころの私は、入学のむずかしさで大学を序列づけていた。困難なところがいい大学。はいりやすいところは、たいした学校じゃあないと思っていた。つまり、東大、京大……という順位ばかりが、念頭にはうかんでいたのである。申しわけないが、同志社のことは少し低く見ていたと思う。

だが、町家の調査であった人は、まったくちがう価値観をしめしてくれた。受験競争の難易度に、たいした意味はない。商家の後継者が、よき社交をはぐくめるかどうかで、大学の値打ちはきまるという。それまでの私が考えたこともないような大学観を、ぶつけてきたのである。

あとで気づいたことを書く。同志社には京都の老舗をつぐだろう学生が、少なからずよっている。系列の中学校から同志社一筋という跡取りを、まま見かける。いわゆる、ぼんぼんたちである。もちろん、それが同志社のすべてではない。だが、そんな一面もこの学校にあることは、まちがいないだろう。

今のべたことが、新島襄《にいじまじょう》のいだいた志、建学の精神とどうつながるのかは、わからない。学校をささえたアメリカン・ボードとのかかわりも、不明である。しかし、とにかく由緒のある店の子弟があつまりやすいキャンパスには、なっている。

ねんのため書くが、そういう跡取りの候補が、京大にいないわけではない。全学生にしめる比率は、ごくわずかであろう。学内では、うもれた存在になっている。しかし、老舗の御曹司も、まれには見いだせる。

私は、大学院生のころ、一九七〇年代末に、そんな学生のひとりとであっている。たしか、文学部の、彼も院生だったと思うが、記憶はさだかでない。いずれにせよ、くだんの学生は、おおむねつぎのようなことを言っていた。

京大へはいるまで、親父は自分を店の跡継ぎにしたがっていたと思う。期待はされているなと、感じていた。だが、京大へ入学したころから、どうやらあきらめだしたようである。院にまでかよいだしたこのごろは、何も言わなくなった、と。

おわかりだろうか。彼の場合は、京大への進学が家出の突破口になっていた。自分はこの店をつがない。べつの人生を歩む。そう親を納得させるためのコースとして、位置づけられていたのである。

三十代をむかえたころから、私は人前で講演する機会をいただくようになった。京都で仕事をする経済人のつどいにまねかれ、講師をつとめることも、ふえている。終了後の懇親会にも、けっこう顔をだしてきた。そういうパーティでは、スピーチへのコメントも、いろいろいただける。聴衆の反応を、私はけっこう気にするほうである。

そんな宴席で、二、三の経営者から、学歴がらみの話を語りかけられたことがある。いわく、自分は高校生のころに、学校の勉強がよくできた。教師からは、東大や京大にもいけると、太鼓判をおされている。しかし、親が反対をしたので、そういう大学にはすすめなかった。入学をしたのは同志社である。自分の場合は、関学（関西学院大学《かんせい》）へ進学した。

以上のような個人史を、私はパーティの場で、ときおり聞かされたものである。家が東大や京大をけむたがったから、けっきょく私学を選択した。私はこういう物言いに、うたがいをはさまない。若いころに、京町家の調査で、京大より同志社のほうがいいと、直接聞かされている。だから、そういう家風の家もあることが、よくわかる。負けおしみの強弁だとは、まったく考えない。

あとでもふれるが、京大へすすみ、なおかつ老舗の跡をつぐ後継者も、いくらかはいる。

そういう子弟は親を説得することに、けっこう神経をつかっていそうな気がする。店は自分がまもるから、いきたい大学へいかせてくれというように。

いっぱんに、京都の市民は京都大学に親しみを感じていると、よく言われる。その風評を、まるごと否定するつもりはない。京大が市民から愛されている部分は、あると思う。

しかし、洛中の伝統的な商家には、否定的な京大観もいきづいている。京都のいちばん京都らしいところは、けっして京大に親近感を、いだいていない。私は京大の研究者を「左京区人」よばわりする排他的な町衆とも、であったことがある。

――栄光の京都第一中学校

下鴨神社を北へ五、六百メートルほどいったところに、洛北高校とその中学校がある。大日本帝国時代、いわゆる旧制教育のころは、京都府立京都第一中学校とよばれていた。いっぱんには、京都一中の名で知られていたところである。

開校したのは一八七〇年であった。設立は、日本でいちばん早いという中学校である。

また、名門校でもあった。卒業生のひとりである梅棹忠夫は、こんなコメントをのこしている。

「京都一中はふしぎな学校で、ライバル校と目していたのは、東京府立一中や大阪の北野中学などではなく、イギリスのパブリック・スクールの、イートン校、ラグビー校であった。最初から日本のスケールから逸脱したところがこの学校にはあったのだ」（前掲『京都の精神』）

この自慢話には、じゅうぶんうなずけるところがある。じっさい、京都一中からは多くの人材がはぐくまれた。とりわけ、学術方面への輩出ぶりは、あざやかであったと思う。

たとえば、日本で最初にノーベル賞をとった湯川秀樹が、ここをでている。二番目の受賞者は朝永振一郎で、やはり一中の卒業生である。ともに京都大学の理学部へかよい、物理学をまなんでいる。ふたりの功績は、京大理論物理の栄光を語る素材にもされてきた。

しかし、彼らは一中の輝きをしめす人材としても、評価されるべきだろう。

戦後の京大人文研で名をはせた研究者たちにも、一中のOBは少なからずいた。桑原武夫、貝塚茂樹、今西錦司といった人びとを思いつく。梅棹忠夫や林屋辰三郎《たつさぶろう》も、この学校をでていた。文字どおり、キラ星のような学者群像である。

もちろん、彼らは旧制の第三高等学校にも、すすんでいた。この三高が、俊秀育成面でになった役割も、あなどれないのではないか。三高のＯＢなら、以上のように反論の声をあげるかもしれない。

しかし、三高は国立の旧制高校である。日本中から学生があつまる、いわゆるナンバー・スクールであった。

いっぽう、府立一中は、基本的に京都府下の子弟がかよう学校である。学生の多くは、市中のゆたかな家にそだった少年たちであった。そのせまい範囲から、これだけの人物群を、同校は世におくりだしたのである。

私が今紹介したキラ星は、みな一中から三高、京大へ進学していった。他府県から三高、京大へはいった学生は、そこにふくまれない。京都府立の一中を卒業した人たちだけで、これだけの群像は構成されうるのである。

やはり、傑出した学校だったのだなと思う。梅棹の回想にも、異論をはさむべきではないだろう。新制の洛北高校は、まったくちがう学校になったような気もするが。

洛北高校（旧府立一中）の正面外観
1975年撮影

あとひとり、一中そだちの学者を紹介しておこう。やはり、京大人文研に在籍していた会田雄次のことを、語りたい。『アーロン収容所』（一九六二年）をはじめとする著作で、読書好きには知られている。そして、会田もまた、少年のころは府立の第一中学にかよっていた。

のみならず、会田は一中時代の興味深い回想を語っている。劇作家の山崎正和やSF作家の小松左京とかわしあった鼎談《ていだん》で、往時をふりかえった。

会田は言う。ある時期まで、イギリスの大貴族は、子どもをカレッジへいかせなかった。由緒ただしい家の子弟は、パブリック・スクールで学業をやめさせられている。あとは、家庭教師らに教育をゆだねるものだとされていた。同じ傾向が、会田の少年時代には、京都でも見られたという。

「大きな呉服屋さんの子供は、一中で止まるのが多い。京都一中の同窓会の会長は私の同級生だった仏光寺の渋谷管長で、一中でしまいです。あとは自分のところで教養を身につけてる。大店でも経営者とかそういう技術者は大学とか高専出の下司下郎を使えばよいということでしょう」（『日本史の黒幕』一九七八年）

大学などは、家業のある特権的な家に生まれなかった男たちが、かようところであった。市中のしかるべき家は、息子の学業を一中までしか、つづけさせない。あとは、それぞれの家にふさわしい教養を、各家庭で身につけさせていたという。イギリスの大貴族と同じように。

さらに、会田は言う。一中の同窓会をひきいたのは、三高や京大まで進学した人たちじゃあない。

「京都一中でも、やめた人が懐しがっている。渋谷君は今でも、『大学へ行ったら良かった』と言っているけれども、そこらの人が中心になってボランティア活動をやったり、一

中時代を懐しんで歌を唱ったりしている」（同前）

くりかえすが、京都一中はおおぜいの学究を世におくりこんできた。「文化人、学者、知識人の大量生産」（梅棹前掲『京都の精神』）に、つくしている。しかし、中学どまりの卒業生は、彼らの前でもちぢこまっていない。私のいうキラ星よりも、むしろ彼らのほうが、同窓のつどいでは指導力を発揮した。

会田が生まれたのは一九一六年である。一中へかよいだしたのは、一九二〇年代のおわりごろからであろう。そして、その時代までは、高い学歴をいやしいとみなす階層が、たしかに存在した。京都の「大きな呉服屋」は、中学より上への進学をいやがったのである。

わが家には、しかるべき由緒がある。息子を大学へかよわせて、のしあがらせなければならないほど、おちぶれてはいない。わが家に生をうけたというだけで、息子にはじゅうぶん値打ちがある。家柄をとうとぶそんな意識や、教育観をたもっていた。

京都にかぎったことではない。東京や大阪にも、同じような家はあったと思う。代々つづいた商店は、跡継ぎに高い学歴をあたえたがらない。高等教育にねざした能力主義の世界へ、後継者がとりこまれることを嫌悪する。そんな心性が、ついこのあいだまでは、町民文化の基層をなしていただろう。

しかし、経営組織は規模が大きくなると、今のべた能力主義に傾斜しやすくなる。高い学歴の人材を、いやおうなくもとめだす。跡継ぎは、妙な学才を身につけて、人品骨柄をいやしくしないほうがいい。そんな個人商店流の観念は、後景へしりぞくようになっていく。

ただ、京都では、ずいぶんおそくまで小さな経営体が、温存された。旦那とよばれるような店主たちが、近年まで一定の勢力をたもってきた街である。少なくとも、東京や大阪ほどには、経営規模の拡大化がすすまなかった。暖簾《のれん》を重んじる商家が多いことも、この趨勢をおしとどめる方向に、作用しただろう。

学歴との親和性が高い能力主義も、おのずとその浸透はおくらされた。京都の老舗は、なかなか学歴社会にまきこまれていかなかったのである。

それでも、二〇世紀の後半には、様相がかわっていた。名門の商家が、跡継ぎであっても大学ぐらいはいかせたほうがいいと、考えるようになっている。今時《いまどき》は、大卒でなければいい嫁がきてくれないと、見きわめて。そのていどには、老舗のおりなす社会にも、学歴主義が侵蝕《しんしょく》していった。

しかし、受験競争風の価値観でそめあげられるまでには、なかなかいたらない。何度も言うが、私は一九七七年につげられた。跡取りたちを、京大などへいかせるべきではない。勉強のできる子であっても、同志社ぐらいに進学はとどめておくほうがいいのだ、と。

一九二〇年代後半の町衆は、子弟の学業を一中でおえさせた。中学までで、じゅうぶんだと、みなしている。一九七〇年代後半の彼らも、東大や京大を、あいかわらず受けつけない。しかし、同志社なら良きコースだと思えるぐらいには、軟化もしていたのである。おくればせながら、学歴主義が老舗筋にもおよびだしたということか。能力の目印としてではなく、世間体をつくろう指標として。

――仁斎も若冲も

いわゆる大学づとめの研究者にも、京都の老舗で生まれそだった人はいる。たとえば、京大の大学院をでて、今は〇〇大学につとめているという。数こそかぎられるが、そういう人と遭遇することも、ないではない。

店の跡継ぎは、どうしているのか。ほんらいは、老舗の御曹司だったという研究者のひとりに、私はそうたずねたことがある。その時は、あらましつぎのような答えが、かえってきた。

うちの場合は、弟が跡をついでいる。自分が京大へ進学したころから、親父は弟に因果をふくめだした。もう、兄はたよりにならない。この家は、お前がささえていかなければならない、と。

弟には、気の毒なことをしてしまったなと思っている。弟にも、弟なりの夢はあっただろう。それをあきらめて、兄がにげた家をひきうけた。いや、おしつけられたと言うべきか。とにかく、かわいそうだなと思う。

今でも、正月なんかに家へかえると、よく弟からなじられる。兄ちゃんは、ずるい。好き勝手なことをして。俺の身にもなってくれ。家のしきたり、うるさい親戚、気をつかわなければならない代々のお得意さん……。ああ、もううんざりや。そんな愚痴を、いつもこぼされる、と。

東京で活躍をしている某女優からも、同じような話を聞いたことがある。彼女の実家は、祇園にある。古くからつづく旅館を、いとなんでいる。今は、妹が若女将《おかみ》になった。会うと、やはり文句を、よく言われる。姉ちゃんは、ずるい、と。

サラリーマン家庭のわが家に、つがねばならない家業はない。そして、私は大学づとめの研究者になったことを、家族からとがめられてこなかった。ずるいとせめられたことは、いちどもない。基本的には、はげまされてきた。老舗はたいへんだなと思う。

とうとつだが、ここで伊藤仁斎（一六二七〜一七〇五年）のことをとりあげる。江戸時代初期の儒者である。朱子学になびかない、いわゆる古義学の学風をきずいたことで、よく知られる。思想史上の重要人物である。高校でつかう日本史の教科書にも、たいていその名はのっている。

仁斎の生家である伊藤家は、今の堀川下立売あたりにあった。材木業をいとなむ、洛中の商家である。仁斎はその跡取り、長男であった。だが、学問に魅入られてからは、家業を弟にゆずっている。自らは私塾の学頭として、生涯をおえた。

伊藤家の兄と弟に、どのような葛藤があったのかを、私はよく知らない。仁斎の塾じたいは、伊藤邸の一画にかまえられた。その意味では、家族から見はなされていなかったような気もする。ひょっとしたら、弟は学問のできる兄をうやまっていたぐらいかもしれない。

しかし、たいていの商家は仁斎のような嫡男を、もてあましただろう。穀潰しのようにみなし、頭をかかえたのではないか。

さいわい、仁斎の学問は世評が高く、弟子もおおぜいあつまった。彼らからもらう謝礼で、生計がなりたった可能性はある。あるいは、伊藤家からも、いくばくかの補助はあったのかもしれない。

伊藤若冲《じゃくちゅう》（一七一六～一八〇〇年）は一八世紀、江戸中期の京都で活躍した絵師である。このごろは人気が高く、名前を知っている人も少なくないだろう。江戸時代の美術史を代表する、そのひとりだと言ってよい。

若冲もまた、商家の息子であった。高倉錦小路に居をかまえる青物問屋の嫡男である。そして、三十代のなかばすぎごろまでは、野菜などをあつかう家業もきりもりした。

しかし、若いころからめざめた絵の途へ、やがてはのめりこむようになっていく。四十歳をむかえる前に、家の仕事は放棄した。仁斎と同じで、家業を弟へゆだね、自分は絵筆に専念したのである。

さいわい、若冲の場合も、なんとか自活はできたらしい。少なからぬ京都の寺々に、その作品はのこっている。注文も、そこそこにはあったのだろう。

思想史や美術史の読み物は、仁斎や若冲の精華ばかりをことあげする。その著述や絵画だけを、とりあげてきた。彼らの家がこうむっただろう迷惑には、あまりページをさこうとしない。しかし、商店経営史の立場にたてば、またべつの書き方もあろうかと考える。

まあ、ふたりはどちらも、学芸の途で成功した。同時代の評価も、けっこう勝ちとっている。生家に累をおよぼす度合いは、小さかったかもしれない。

だが、そういう途で身をほろぼした御曹司も、じっさいにはおおぜいいた。こころざした学問や芸事が身につかない。才能には、めぐまれなかった。運にも見はなされている。それで、ついついすてばちな人生をおくってしまう。けっきょく、経済的には生家へたかり、家業をかたむけさせた。そんなぼんぼんも、いなかったとは思えない。

もちろん、跡取りの息子を廃嫡する手はあった。弟がいれば、そちらに跡をつがせる家も、少なくなかったはずである。仁斎や若冲をそだてた家が、そうしたように。てきとうな男子がいなければ、養子をむかえるという手だても、こうじられたろう。

店を永続させようとする。その便法、セーフティネットが京都になかったわけではない。しかし、たいていの商家は、嫡男が家業にいそしむことをねがったろう。しかるべき跡取りによる穏便な家の継承を、なによりものぞんだと考える。

町衆たちが、学芸の魅力に鈍感であったとは思わない。学問、詩歌、絵画、歌舞音曲……、いろいろな文化に彼らはしたしんだ。それらは、彼らがくりひろげる社交の潤滑油にも、なっていただろう。江戸期のはじめごろから、京都の街はそういう市民文化をはぐくんでいたと思う。

だが、学芸の世界にうつつをぬかすことは、かたくいましめられた。とりわけ、嫡男がそこからぬけだせなくなる事態は、いやがられたはずである。深みにははまらず、ほどよくたしなむ。跡取りにもとめられたのは、そういう姿勢であったろう。

京都大学への進学は、しばしば町衆からけむたがられてきた。こういう処世の考え方も、今のべたような学芸観の延長上にあるのかもしれない。

学問のおもしろさは、よくわかる。学のある人がもらす話に、自分もひきつけられたことはあった。学術的な本にも、しばしば目をとおす。それなりの魅力があることは、わきまえているつもりである。

だが、当家の跡取りに、そこへはむかわせたくない。万が一、のめりこむようになったら、とりかえしがつかなくなる。

京大あたりで、教授の先生から見こまれたりしたら、どうしようもない。そのことじたいは息子もうれしかろうし、ますます歯止めがきかなくなる。親の自分が、ほどほどにしておけと忠告をしても、言うことを聞かないだろう。

そういう予感もまた、ああいう大学はよくないという発言につながるのではないか。「京大はあかん」。このいちゃもんは、江戸時代以来の商家がいだく学問観にも、ささえられていると考える。

このごろは、商家をふくめどの家でも、子どもの数がへってきた。女子を跡継ぎとするケースも見かけるが、養子はむかえづらくなっている。家の永続をなりたたせる社会的な基盤は、弱体化がいちじるしい。暖簾をまもりたい家では、あいかわらず嫡男の京大進学を、敬遠しつづけるだろう。

もちろん、同志社へはいって学問にめざめる学生も、いないわけではない。とりわけ、サラリーマンの子弟なら、その途へすすむケースもじゅうぶんありうる。じっさい、それだけの教育環境を、この大学はそなえている。

しかし、老舗の跡取りにたいしては、その誘引力がおよびにくい。同志社には、経営者のジュニアたちが、少なからず籍をおいている。いざとなったら、その仲間が学問への深入りを、たしなめてくれるだろう。ぼんぼんどうしのネットワークが、防波堤となってくれるにちがいない。えーっ、大学院へいくんやて？　しんきくさいことをするなよ、と。

のみならず、ここなら子どもが学問の香気にふれることも、できる。優秀であれば、そのおもしろさを実感したりもするだろう。いずれは、それが商家どうしの社交に役立つ可能性もある。

だが、そこにとりこまれる危険性は、高くない。町衆のおぼえがめでたくなるのも、そのような期待からではなかったか。

——伝統の澱と滓

　今の日本国憲法は、職業選択の自由をうたいあげている。身すぎ世すぎの途は、誰もが自分でえらべるはずである。どんな老舗であっても、家業の継承を子どもに強いることはできない。強制は禁じられている。

　だから、由緒のある商家では説得につとめる。お前は、ここの跡取りなんだ。いずれは、この家をひきいて、まもっていかなければならない。物心もつかないころから、そんなふうに暗示をかけていく。無理じいではなく、あの手この手で甘言も弄しつつ。

　もちろん、反発して家をとびだす跡継ぎの候補者も、いるだろう。たとえば、ミュージシャンになる。アーティストになる。そう親につげて、家からはなれる息子も、少なくはあるまい。あるいは、娘も。

　一般のサラリーマン家庭なら、失敗の可能性が高いそういう途を、あやぶもう。たいていの親が、想いとどまらせようとするのではないか。

夢のようなことを、言うな。わが家に、お前がつげるような資産や家業はない。うまくいかなければ、路頭にまよわざるをえなくなる。もっと堅実な仕事をめざしたほうがいいのではないか、と。

だが、老舗の場合は、またちがった判断もありえよう。子どもは、ミュージシャンになるという。それなら、やらせてみよう。そういう浮ついた仕事は、たいていうまくいかない。やりそこなって、また家へかえってくるだろう。けっきょくは、家業をつぐことになっていく。そう見きわめて、寛容な姿勢をしめす家も多かろう。

あるいは、こんなふうにも想いをめぐらせようか。この子は、ミュージシャンになりたいという。そういう冒険にふみきれるのは、けっきょくこの家があるからにちがいない。しくじっても、いざとなったら跡取りの途がある。どこかで、そう高《たか》をくくっているから、夢のようなことを言いだした……。

ええよ、ええよ、お前の好きなようにやったら。ほんで、失敗してから、もどってきたらええやん。どうせ、そうなるわ。その時に反省をしたら、かえって腰のすわったええ跡取りになるやろ。

暖簾のある家が、よりせつじつに心配をするのは、能力主義のコースである。できのいい子が勉強をして、出世の途を歩みだす。家業とは関係なく、医師になると言う。弁護士になりたいと言いだした。そこそこには、実現する可能性もあるそんなルートのほうを、むしろけむたがろう。こういう方向にすすみだした子どもは、もう家へかえってこないだろうから。

いずれにせよ、老舗の後継者は、心に屈託をかかえやすくなる。家業以外の途もありえた。そう自負をする跡取りがいだくわだかまりは、とりわけ強くなっていくだろう。

昔から、パイロットになりたいと思っていた。先生からも、適性はあるとすすめられたことがある。航空大学校の入試も、模擬試験の結果を見るかぎり、とおりそうだった。なのに、両親から反対され、けっきょく某私学の経営学科へすすんでいる。今は、茶を商うわが家で、帳簿を管理する身となった……。

職業は自由にえらべる時代である。学校でも、そうおしえられた。自らえらんだ途で、活躍をしている級友の話も、聞こえてくる。でも、自分は家のしがらみにからめとられ、この店をつがされた。古くからの得意先や、代々のしきたりに気をつけなければならない、この店を。

洛中の人たちは、しばしばイケズ口《ぐち》をきく。洛外者や他地方からうつってきた者を、いんぎんに見下しやすい。その背景には、今のべたような老舗事情も、あるような気がする。

たとえば、京大建築学科の学生たちが、町家の調査へでむいたところを想像してほしい。調査の対象となる町家の側では、こういう学生を気楽な連中だと、まずとらえるだろう。そして、反射的に想いをめぐらせるのではないか。

自分たちは因習のなかで、今のくらしをいとなんでいる。しきたりやならわしでおしつぶされそうになりながら、商いをなりたたせてきた。その苦労が、この能天気な学生たちはわからないだろうというように。

京都の何百年もつづく老舗には、伝統の重圧がある。そして、洛外者や地方からきた人たちは、そういう抑圧からまぬがれている。のんびりと、気ままな人生をおくってきたかのように見える。そう強く感じてしまった時に、町衆たちはイケズの砲門をひらくような気がする。

一九七七年の町家調査で、私は故杉本秀太郎の家をおとずれた。そこで、杉本にからかわれたことは、『京都ぎらい』の冒頭で書いている。ここでは、くりかえさない。しかし、つけくわえてのべたいこともある。今回は、それを書く。

杉本家は一七四三年に、呉服や綿をあつかう仕入れ店としてはじまった。今の綾小路通新町へうつったのは、その二十四年後である。当初より「奈良屋」と号し、ごく近年まで営業をつづけてきた。今は店をしまい、家屋敷を重要文化財の博物館として維持保存するにいたっている。

秀太郎は、その九代目となる当主であった。しかし、十歳代のなかごろから、文学にめざめだす。一九四八年には、金沢の旧制第四高校へかよいはじめた。翌年には、学制の変更もあり、京都大学の文学部へ入学する。そして、その後はフランス文学を研究する途へと、すすんでいった。

老舗の跡取りとは思えない人生航路である。家業をささえようとする意欲が、そのころにあったとは思いにくい。近くの町衆からは同情をされかねない家に、奈良屋はなっていたと思う。

秀太郎の父である郁太郎も、そのことは納得していたらしい。『奈良屋弐百年』（一九五二年）という著書の自序には、こうある。「世襲財産的に同族が奈良屋を経営するのも筆者が最後であらう」、と。店を自分の代でたたむ覚悟は、できていたようである。

しかし、そんな父の死をむかえ、秀太郎は生家の維持に心をくだきだす。一九九〇年には、自邸を文化財として保存する筋途もつけた。洛中の旦那として、祇園祭のつとめもはたすようになっている。

若いころは文学研究にのめりこみ、気持ちが家からはなれたことも、あったろうか。だが、けっきょくは奈良屋をまもる途へ、かえってきた。町衆の伝統とともに生きることを、えらんでいる。

同じころ、人文学の世界では、国民国家論という議論がさかんになりだした。近代化をめざす国家は、人びとを国民化しようとする。国民としてひとくくりにできるよう、人民をおいこんでいく。その都合で、国民共通の伝統や文化は、あらたに創造されたとする議論である。

いわゆる伝統文化も、自然につづいてきたそれとしては、みなさない。近代化の要請で、こしらえられたり増幅されたりするところに、光をあてようとする。そんな文化研究が、一九九〇年代には隆盛をむかえだした。

京都では、故西川長夫が、その急先鋒《きゅうせんぽう》にたっていたと思う。やはり、京大でフランス文学をまなんだ、杉本の同窓となる研究者である。年は西川のほうが、三年若い。そんな後輩の伝統理解を、そのころ杉本は、しばしばきりすてるように語っていた。

西川、このごろむちゃくちゃ言《ゆ》うとるやろ。あいつは、伝統のことなんか、ぜんぜんわかっとらへん。何にも知りよらへんのや。

奈良屋は三百年近い歴史をたどってきた。その暖簾をうけついだ杉本には、伝統の重みがのしかかっていたと思う。近代の模造品というだけではとらえきれない文化の澱《おり》や滓《かす》を、杉本はひきうけてきた。西川批判の言葉があふれだしたのも、そのせいだろう。

私じしんは、西川らの立論にも、一理あると思っている。しかし、杉本の全否定に近い語りで、悟りがひらけたような気にもさせられた。京の町衆は、どういう伝統を生きているのか。その一端を、かいま見たようにも、感じたものである。

由緒のある家をついだ跡取りには、言うに言われぬ苦悩がある。ふとしたはずみで、悲鳴にも似た声が露呈しかねない背景を、かかえている。洛中の旦那たちからとびだすイケズ口《ぐち》も、そこにねざしているのではないか。私がそうおしはかれるようになれたのは、杉本の西川批判を聞いてからである。

――都心の凝集力

京の町家をのこしたい。そんな声を、二〇世紀のおわりごろから、よく聞くようになった。

理由は、はっきりしている。いわゆる高度成長期をへて、伝統的な町家は、どんどんこわされていった。マンションや雑居ビルに、たてかえられている。あるいは、立体駐車場に。このまま放置していけば、いずれ町家は絶滅する。そんな危機感が、保存のかけ声をうながした。

町家は、都市にくらす商人の木造家屋、言ってみれば民家である。表通りに面したところで商品を売り、家人は奥のほうで生活する。そんな都市型の、店舗共用住宅にほかならない。

かつては、江戸＝東京でも、市中の商業地にひろがっていた。大阪では、江戸以上にそれらが街をうめつくしていただろう。江戸時代の大阪に、武士はほとんどいない。市中の大半は、商業地になっていた。街には、明治以後もしばらく、町家型の住居がならんでいたのである。

今でも、岐阜の高山や徳島の脇町《わきまち》あたりへいけば、町家のつらなる景観はおがめる。東京でも、たとえば葛飾柴又には、そういうエリアがのこっている。

しかし、大都市の都心部では、もうほとんど姿をとどめない。東京や大阪の中心街では、おおむね一掃された。その跡地は、ビル街へと変貌をとげている。

京都の都心も、同じ途をたどってきた。だが、東京や大阪にくらべれば、その勢いはゆるやかである。繁華街でも、少し奥へはいれば、今なお町家の点在するようすはうかがえる。ところによっては、それらが数軒ならんでいる光景さえ、見ることもできる。

作家の谷崎潤一郎は『細雪』（一九四九年）で、大阪のブルジョアをえがいている。オフィスと単身用の生活空間を大阪市中におくが、家族はそこにすまわせない。阪神間の山裾に、岡本だが、家族用の別宅をもうけている。そして、家長じしんも週末はそこへかえってすごすという一家を、描写した。

『細雪』だけの話ではない。戦前の大阪を生きた富豪たちは、その多くが同じようなくらしをいとなんだ。岡本のみならず、芦屋、御影《みかげ》、六甲荘《ろくろくそう》といったエリアに、彼らは別宅をかまえている。東京へなぞらえれば、軽井沢であり田園調布でもあるところに。

時代が下るにつれて、家長たちはウィークデーの生活拠点も、阪神間へうつしだす。本格的にそちらへ移住した。大阪の仕事場は、オフィスとしての純度を高めている。転売などをへて、巨大なオフィスビルになったところもある。必然的に、生活の場でもある町家は、ほとんどのこされていない。

いっぽう、京都の洛中に居をかまえるブルジョアは、それほど郊外へ移住しなかった。市中にとどまりつづけようとするこだわりは、東京や大阪より、ずっと強い。伝統的な町家が、わりあい温存されやすかったのも、そのためである。

とはいえ、洛中にのこった商家は、しばしば自分たちの町家を解体してもいる。敷地だけはたもったが、上物《うわもの》をビルにかえているケースも少なくない。いわゆる大都市のなかでは、木造の都市型住居を、比較的のこしているほうだと思う。しかし、京都でもそれが絶滅過程にはいりだしていることは、いなめない。

いずれにせよ、洛中の商家はあまり郊外へ移転しなかった。みなが、町家をまもったわけではない。しかし、住みなれた洛中で仕事をつづける小経営者は、おおぜいいる。老舗が先祖から継承した地所をまもる度合いは、東京や大阪より高い。

じっさい、彼らのうつりすむ住宅地は、ながらく京都の郊外に形成されてこなかった。大阪のブルジョアは、二〇世紀のはじめごろから、阪神間の山裾に移住する。岡本や御影あたりに、いわゆる高級住宅街をなりたたせた。その社会的な勢いは、京都の洛中にあまりおよんでいない。京都の周辺では、田園調布や岡本が、なかなか成立しなかった。

郊外開発のうごきじたいは、京都でも二〇世紀初頭におこっている。北区の等持院や西《にし》白梅町《はくばいちょう》あたりで、はじまった。しかし、洛中の町衆は、ほとんどうつっていない。

市中からこの地へ移住したのは、おもに美術とかかわる人たちであった。そのため、京都では「絵描《えか》き村」ができたと、はやされている。店をきりもりする経営者からは、気楽な道楽者の別天地とみなされたろうか。

左京区の吉田や北白川《きたしらかわ》、そして下鴨でも、古くから郊外住宅地ができている。そして、こちらへすみついたのは、たいてい京大や三高の教官たちであった。

旧制の第三高校が京都にできたのは、一八八九年である。京都帝国大学の創設は、一八九七年であった。当初の人材に、京都出身者はほとんどいない。多くは東京帝大をでた学究たちであった。京都に家などもたないし、街にも不案内な人びとが、あつまっている。左京区の郊外は、彼らのために開発されていった。

洛中の京都人から見れば、よそ者、いわゆるよそさんの集落である。町衆が、しばしば「左京区人」とあなどる下地は、このころにできたということか。行政区としての左京区が成立したのは、もっと後の一九二九年だが。

いずれにしろ、初期の郊外開発に町衆は、それほど関与していない。少なくとも、住み手としては、かかわろうとしなかった。二〇世紀初頭に郊外生活をいとなみだしたのは、学者や芸術家たちである。浮世ばなれした先生たちによって、郊外はきりひらかれた。

京都の市中では、古くからの老舗が、先祖代々の土地で商売をしつづける。この理由を、経済的な活力の弱さにもとめることは、できるだろう。巨大資本が土地を買いしめ、ビッグビジネスを展開する。それだけの勢いが、京都経済にはなかったという理屈を、とりあえず想いつく。

しかし、それだけでは、けっしてない。私は文化的な背景もあったと、にらんでいる。さきほど、京都のまわりには田園調布や岡本ができなかったと、そう書いた。町衆は自分たちのうつりすむ高級住宅地をいとなんでいないと、のべている。しかし、彼らがつくろうとしなかったのは、それだけでもない。洛中の富裕層は、避暑地にも興味をもたなかったのである。

近代のブルジョアは、夏の息抜きに、しばしば涼をもとめて別荘へおもむいた。東京の富豪は、軽井沢という別荘地もこしらえている。だが、洛中の京都人は、あまりそういう意欲をしめさない。暑さがたえがたいと言われる夏の京都盆地から、なかなかでようとしなかった。

京都は祭事の多い街である。暑い夏にも、さまざまな年中行事がある。祇園祭、五山の送り火、人によっては六道まいりや陶器市も、あげようか。とにかく、こなさなければならない行事が、たくさんある。いそがしくて、とても街からはぬけだせない。避暑地になど、おもむく時間はないということか。

そう言えば、鴨川ぞいの料理店は、あたたかくなると川へむかう窓の外に床《ゆか》をはる。屋外に床を延長する。鴨川や東山の風景が、食事とともにたのしめる仕掛けを、ととのえてくれる。

京都の人たちは、これを納涼床とよんでいる。じっさいには、あそこですずしいと実感できることなど、ほとんどない。にもかかわらず、納涼、涼気をあじわうという言葉が、あのしつらいにはあてられている。

避暑なら、あれでじゅうぶん。軽井沢のようなところへいく必要はない。そんなやせがまん、あるいは心意気が、納涼床の三文字にはこめられているのだろうか。まあ、少しはすずしい貴船の川床へおもむく人も、いなくはないが。

ともかくも、京都には町衆を市中へつなぎとめておく、文化的な凝集力がある。その強さが、都市の空洞化に歯止めをかけてきた部分は、あるだろう。大阪では、その力が作動しきらなかったから、多くの富豪が西郊へにげだした。同じ関西で、たがいに距離も近い京大阪には、それだけのちがいがあったのだと考える。

――八ツ橋と羊羹と

八ツ橋は、京都で売られる菓子である。入洛客が土産にもとめる機会は多い。てがける店も、少なからずある。京都を代表する、いわゆる銘菓のひとつである。

古くからなじまれてきたせいだろう。八ツ橋を売る店は、しばしば店の由来や八ツ橋そのものの来歴を、うたってきた。これだけの由緒が、八ツ橋にはある。そして、それをあつかう当店も、かくかくの歴史をほこっている、と。

二〇一八年の夏には、そのひとつがべつの店をうったえた。訴訟をおこしたのは、井筒八ツ橋本舗である。告発されたのは、聖護院《しょうごいん》八ツ橋総本店。いさかいの対象となったのは、聖護院側のとなえる同店の歴史であった。井筒側は、これが虚偽記載や営業妨害にあたると、京都地裁へ話をもちこんだのである。

菓子づくりの秘伝が、ぬすまれたというわけではない。特許や商標をめぐる、よくあるもめごととももちがう。問題になったのは、あくまでも歴史であった。

聖護院は、暖簾や看板に書いている。当店の創業は元禄二年である、と。あるいは、"Since 1689"とも、しるしてきた。

井筒は、これがゆるせないという。一六八九年に八ツ橋があったことをあかしだてる文献記録は、ひとつもない。この表示はまちがっている。のみならず、自分たちの店、井筒の信用も傷つけてきたというのである。

八ツ橋の起源に関しては、八橋検校《けんぎょう》のことが、しばしば語られる。箏《そう》の演奏者として知られた人物である。一六八五年になくなった。その墓は、今も常光院という金戒光明寺《こんかいこうみょうじ》の脇寺にある。八ツ橋は、他の説もあるが、検校の愛用した箏に形を似せた菓子だと、よく言われる。

聖護院八ツ橋総本店が設立されたのは、一九二六年であった。検校がなくなってから、二百年以上たっている。ただ、聖護院側は八ツ橋の考案者を、自分たちの祖先だと位置づけてきた。さらに、その時期は検校死亡の四年後、一六八九年だというのである。

井筒も、八ツ橋という菓子が八橋検校の箏に由来するだろうことは、否定していない。のみならず、毎年常光院で検校の法要をいとなんでいる。その施主は、ほかならぬ井筒八ツ橋本舗なのである。

しかし、その起源を一六八九年だとは、考えない。年代をしめすたしかなデータは、ないという。また、考案者を聖護院の先祖だとする証拠も、存在しないとする立場にたつ。井筒の創業は文化二年、一八〇五年である。一九二六年にはじまった聖護院のことは、後発の店だとみなしてきた。だが、聖護院はより古く、一六八九年から八ツ橋にはかかわってきたという。井筒より古いと、事実上宣伝につとめてきた。

これが、井筒には見すごせなかったのだろう。新参のくせに、パイオニア面《づら》をするな。そんな想いもあふれて、訴訟にふみきったのだと考える。

だが、事情通からは、ちがう話も聞こえてくる。いわく、起源を一六八九年だとする店は、ほかにもある。聖護院だけではない。同じ由緒を前面へおしだしている八ツ橋の店は、複数存在する。にもかかわらず、井筒は聖護院だけをうったえた。おそらく、聖護院にたいしては、歴史以外にもふくむ何かがあるからだろう、と。

聖護院が標的とされた背景には、何か裏事情があるのかもしれない。しかし、とにかく、訴状は歴史の捏造《ねつぞう》を非難するという形で、ととのえられた。公式的には、これこそが最大の争点となっているのである。

だいじなことを、つけくわえる。井筒で佐兵衛の名をうけつぐ今の六代目は、京都大学をでている。会長兼社長の津田純一も、そのジュニアだが、京大の卒業生である。

さきほどは、京大への進学が家出の途になっていると、そう書いた。しかし、井筒のような老舗も、この街にはある。例外的なケースだと思うが、ねんのためのべておく。

八ツ橋の来歴をめぐる裁判が京都でおこったことは、全国区のニュースになった。東京のテレビ局も、ワイドショーの番組などで、しばしばとりあげている。私の見た範囲では、事のなりゆきにあきれる扱いが、多かった。歴史の書き方ぐらいで、おおげさな、と。

きそいあう菓子の店が、味や値段ではりあうのなら、まだわかる。うちのほうが、うまい。いや、味ならうちだ。そうやりあって、敵愾心がふくらんでいく。とうとう、裁判沙汰にまでなったということであれば、了解できる。

しかし、ライバル店がかかげる歴史を批判するための訴訟は、腑《ふ》におちない。そんなことより、味覚や価格面での改良につとめてよ。

テレビがひろう街の声も、おおむね以上のような反応に終始した。番組の担当者も、この件をあしらうおとしどころは、そこにあるとふんでいただろう。歴史より味であり、値段である、と。

しかし、私じしんは、かならずしもそう思わない。老舗が歴史にこだわるのは、もっともなことだと考える。それで、裁判にまでいたる展開があったとしても、あきれはしない。

京都には、ながくつづいた店が、いくつもある。たとえば、仏具店の田中伊雅《いが》は、平安時代前期、九世紀末ごろまでさかのぼれる。あぶり餅の一和《いちわ》（一文字屋和輔）も、平安中期の創業で、千年以上の歴史をほこってきた。

こういう街で商いをすれば、おのずと歴史をうやまうようにもなっていくだろう。味や値段もだいじだが、歴史だってゆるがせにはできない。そんな価値観をいだく人びとが多くなることも、じゅうぶんうなずける。

ながらく、京都の近郊でくらしてきた。そのせいで、私の考え方も京都流にそまりだしたのだろうか。老舗の歴史自慢にも、共感できる部分はあると、思ってしまう。そんな私は、京都的な価値観で毒されている可能性が、たしかにある。

しかし、それだけではない。私は、何度も書くが、現在宇治にくらしている。そして、わが家のすぐ近所には、通圓《つうえん》の店舗がある。平安時代の末ごろにはじまった茶の店が、今もその看板をまもっている。

上林《かんばやし》 春 松《しゅんしょう》も、長らく宇治の茶をあつかってきた。創業は永禄年間であるという。織田信長が京都をうかがいだしたころにできた店である。ここもまた、わが家から歩いていけるところに、店をかまえている。

こういうエリアで生活をおくると、老舗への敬意も、おのずと強くなる。京都ではない洛外の宇治でも、歴史を尊重する気分は、身についてしまう。

そう、私がここで書いているのは、宇治の自慢話なのである。京都風《かぜ》をふかせているわけではない。どちらも似たようなものだと、他地方の人びとからは思われるかもしれないが。

東京の日本橋あたりにも、歴史のある店は点在していよう。しかし、江戸時代より前に起源がさかのぼれる店は、まずあるまい。銀座あたりまでくれば、由緒はあっても、たいてい明治時代以後のそれであろう。

江戸時代より古くからつづく老舗としては、和菓子のとらやを想いつく。その創業は一五二〇年代まで、遡及しうると聞く。しかし、ここも、徳川家康以前の江戸に生まれた店ではない。出自は京都にある。明治維新で、朝廷とともに東京へうつってきた店である。

そして、とらやの本家がある京都には、もっと古い和菓子の店もある。川端道喜《どうき》や総本家駿河屋が、その例にあげられる。じっさい、駿河屋が店をかまえたのは一四六一年であるという。応仁の乱がはじまる、その六年前である。

話を東京の老舗にもどす。呉服のゑり善も、江戸幕府ができる前の一六世紀末に、その起源はさかのぼれるらしい。今は銀座にも、店をだしている。しかし、ここも出自を問えば、京都にたどりつく。まあ、この店は看板で「京ごふく」を、うたっている。京都出身であることは、東京の人びとにも知られているだろう。

江戸開幕以後の老舗にも、京都からでてきたところは、けっこうある。和菓子の萬年堂や寛永堂、書画用品の鳩居堂、呉服の志ま亀《かめ》、などである。

ただ、それらの由緒が東京でうやまわれているかどうかは、うたがわしい。私の知る東京の人びとは、たとえば寛永堂のことを、こんなふうに語っていた。最近できた店じゃないの。ここ十年か二十年くらいの店だろう、と。

寛永堂は江戸のはじめごろ、寛永七年、一六三〇年の営業開始を自負してきた。本店は、京都の四条先斗町《ぽんと》にある。寛永年間に創業したということで、寛永堂を名のっている。

しかし、東京でくらす人びとには、あまりそのことがぴんとこないらしい。寛永期だから寛永堂なんだなという連想は、あまりはたらかないようである。店の来歴も、京都ほどには訴求力をもたないということか。八ツ橋の歴史をめぐるいさかいも、こちらの人にはわかってもらいにくいゆえんである。

そう言えば、とらやの羊羹《ようかん》についても、おどろくべき話を聞いた。東京のビジネスマンは、仕事上の失敗を、しばしばこの和菓子であがなうらしい。

とりかえしのつかない失態を、演じたもんだな。もう、とらやの羊羹を手土産に、あやまるしか、手はないだろう。そう上司や仲間から助言をされる商品に、これが東京ではなっているらしい。謝罪用の贈答品として、まっさきに名前があがる商品であるという。

京都で売られているとらやの羊羹に、そうした印象は、まったくただよわない。私じしん、京都の仕事で致命的なミスをおかしたことが、何度かある。それこそ、講演の舞台に穴をあけたことも。しかし、とらやの羊羹をもっていけというアドバイスは、いちどももらったことがない。

所かわれば、品かわるということか。とらやの羊羹は、東京へつたわり、とんでもない商品にばけてしまったようである。

どうして、謝罪にはとらやの羊羹なのか。そんな私の質問に東京の人たちは、たいていこうこたえてくれた。なにしろ値段が高いしね、高級品ですよ。パリにも、りっぱな支店をだしているでしょう、あの印象もあなどれないね……。

五百年近い由緒のある、京都でできた老舗だからという返答には、あまりでくわさない。やはり、首都東京では、京都における謂れが軽んじられている。洛中の京都至上主義者には、かみしめてもらいたいところである。

――宗全さんのこと

さきほど、総本家駿河屋を紹介したおりに、応仁の乱へも言及した。この店は、あの内乱がはじまる六年前にできていると、わざわざのべている。この指摘は、乱の話を書く、その伏線になればと思いつけくわえた。

「このあいだの戦争」という言いまわしがある。日本では、第二次世界大戦をさすさいに、よくつかう。だが、京都の人たちは、この文句に応仁の乱を想起すると、しばしば語られてきた。二〇世紀の世界大戦ではなく、一五世紀の内乱へ想いをはせるのが京都人である、と。

一五世紀を、つい「このあいだ」ととらえてしまう。この物言いは、京都人の悠長ぶりを、おもしろおかしくはやす常套句《じょうとうく》になっている。彼らは、それだけ気長に生きているのだ、と。

ただ、いっぽうには、その信憑性《しんぴょうせい》をうたがう人もいる。ほんとうに、第二次大戦ではなく応仁の乱を、彼らは想いおこすのか。いくらなんでも、それはありえまい。ジョークとしてのおもしろさをきわだたせるために、この話は誇張されている、と。

第二次大戦で、京都はアメリカの爆撃機による空襲を、あまりうけなかった。まったく、なかったというわけではない。洛中にも、爆弾投下の被害をこうむったところはある。しかし、東京や大阪、広島や長崎とくらべれば、空爆ののこした爪痕はかぎられる。

「このあいだの戦争」と言われても、被害の小さい第二次大戦には想いがはせにくい。それよりも、もっと戦禍のひどかった、より古い戦争を脳裏へよぎらせてしまう。そして、応仁の乱は京都を焦土にしたと、言われてきた。だから、「このあいだの戦争」という文言は、あの乱を連想させるという。この理屈には、うなずけるところがある。

しかし、老舗の多い街だが、乱より前から商売をしてきたという店は、それほど多くない。あれを「このあいだ」とふりかえることのできる家は、さすがに数がかぎられる。

さらに、京都は幕末におこった蛤御門の変でも、街の大部分が焼失した。一八六四年の事変だが、戦火はいたるところにおよんでいる。うちも、あれで焼けたんやと、当時をふりかえる家は、少なくない。

だから、「このあいだの戦争」を蛤御門の変だと言われれば、納得する人も多かろう。しかし、応仁の乱では、歴史をさかのぼりすぎることになる。京都人は、一五世紀を「このあいだ」として認識するという。おもしろい話だが、うのみにはできないと、ながらく私も考えてきた。

ただ、数年前に西陣の若い医師、女医さんとであい、認識をあらためている。やはり、

「このあいだ」は、応仁の乱までさかのぼるかもしれないな、と。

ねんのため書いておくが、西陣という地名は応仁の乱に由来する。あの乱でいわゆる西軍をひきいた山名宗全は、堀川通の西に陣地をかまえた。東軍の大将となった細川勝元に、西側からむきあっている。そこから、西の陣、西陣という地名はなりたった。

山名宗全の陣どった跡地へ、乱の終了後に機織《はたお》りの職人たちがかえってくる。戦乱をさけて、各地へちらばった人たちが、もどってきた。その後、彼らはたがいの技をきそいあい、技術を高めるようになっていく。そうしてはぐくまれた織物こそが、西陣織なのである。

私はそんな地名の由来を、わきまえていた。西陣で生まれそだったという女医と会った時にも、この話をもちだしている。社交のとっかかりとして、こんなふうに。

西陣のかたですか。あのあたりは、山名宗全が西の陣をきずいたから、西陣って言うんですよね、と。

このひとことに、彼女もうなずいた。しかし、山名宗全という私の言いかたには、つきあわない。彼女は、西側に陣どった武将を、「宗全さん」と言いかえた。

「宗全」とよびすてる私を、彼女がなじったわけではない。だが、彼女は幼いころから

「宗全さん」という呼称に、なじんできたという。地蔵盆のつどいでも、まわりの大人たちは、「宗全さん」と言っていた。だから、自分もよびすてにするより、さんづけのほうが言いやすいというのである。

地蔵盆は、古くからつづく町内の行事である。民俗慣行だが、いつのころからか、子どもたちをたのしませる行事になった。そんな場で、彼女らは「宗全さん」の話を、聞かされてきたのだという。

西陣には、山名宗全の記憶が生きている。応仁の乱が、子どもたちにも語りつがれていた。やはり、こういう町内では、あの乱が「このあいだの戦争」になるのかもしれない。女医とのやりとりは、私にそうかみしめさせてくれた。

あとで気づいたのだが、旧山名邸の跡にはその石碑がたっている。あたり一帯の町名は、山名町である。この町内では、地蔵盆のつどいを、石碑の前でつづけてきた。

西陣から北へ一・五キロほどあがったところに、今宮神社がある。その境内にある織姫社という末社は、織物の祖神をまつってきた。今宮神社の氏子でもある西陣織の業者が、江戸時代にいとなんだのだという。

西陣の山名町には民家の間に宗全邸宅跡の碑がある

織姫社の織姫は、七夕《たなばた》の伝説にでてくる姫である。とうぜん、ここでも毎年、七夕祭がおこなわれる。ただし、挙行日は八月七日と、旧暦のそれに近づける形で設定されている。旧暦をもちいた江戸時代との連続性が、重んじられたのだろう。

いっぽう、ここでは西陣祭（「西陣の日」奉祝祭）も、くりひろげられる。一一月一一日が、その祭日となっている。これが何の日になるのかを、ごぞんじだろうか。じつは、応仁の乱が一四七七年に終結した、その当日なのである。乱後に発達した西陣は、この日を毎年ことほいできた。乱がおわった、その終戦記念日として。

一一月一一日は、第一次世界大戦の停戦日でもある。この日に、一九一八年のことだが、連合国とドイツは休戦条約を締結した。今もフランス人は、国中《くにじゅう》でこの休戦記念日を、いわっている。その熱気は、第二次大戦の戦勝記念日（五月八日）より強かろう。

フランス人が第一次大戦の休戦を、国民的にめでたくうけとめる。その同じ日に、西陣の関係者は、応仁の乱が終了したことを、よろこんできた。ぐうぜんの一致と言うしかないこの日程を、私はけっこうおもしろがっている。

いっぽんに、戦争の記憶は語りつがれるべきだと、されている。しかし、応仁の乱は、もうほうっておいてもいいと、他地方のかたがたは思われよう。五百年以上も前の戦争など、歴史家にまかせておけばいい。一般人は忘れてもかまわないんじゃあないか、と。

だが、西陣の人びとは、そこにこだわる。「このあいだの戦争」として、この内乱にむきあおうとする。「このあいだ」は、せいぜい蛤御門の変で、応仁の乱まではとどかない。そうとらえてきた私も、認識をあらためなければならないのかなと考える。

とはいえ、ひっかかるところもないわけではない。応仁の乱は、一四七七年、つまり文明九年の一一月一一日に終了した。言葉をかえれば、旧暦の一一月一一日におわっている。

しかし、今日の西陣祭は、新暦の一一月一一日を祭日としてきた。このずれは、気になる。織姫社の七夕祭は、江戸時代からの継続性にかんがみ、旧暦での実施をつづけてきた。だが、同じ神社の西陣祭は、新暦を採用している。どうやら、旧暦時代と西陣祭は、それほど連続しあっているわけでもなさそうである。少なくとも、七夕祭ほどには。

ひょっとしたら、一一月一一日を記念する祭礼は、新しくつくられたのかもしれない。西川長夫流に言えば、近代がこしらえた伝統のひとつでも、あったろうか。

そう言えば、「このあいだの戦争」という文句の起源も、新しそうである。第二次大戦を、戦後に回顧するらしいニュアンスが、この言いまわしからは感じとれる。想うに、この表現じたいが、第二次大戦後の産物だったのではないか。ついでに言えば、「このあいだ」を応仁の乱とする物言いそのものも。

しかし、西陣が乱の跡地で発展をとげてきたことは、いなめない。彼地の職人たちも、自分たちの歴史を乱後のそれとして、想いえがいてきた。そうでなければ、彼らじしんの土地を西陣とはよばなかったろう。あるいは、山名町などという町名もありえまい。

自分たちの原点としては、まず応仁の乱を想起する。西陣は、あそこからはじまったと考える。そんな歴史が、少なくともこのエリアには息づいているのだと、みなしたい。たとえ、「このあいだ……」という言いっぷりが、近年の発明品であったとしても。

洛中をきらうはずの私にしては、ややそちらよりの文章になってしまった。これには訳がある。

かつての西陣は機織りの街として、おおいにさかえた。だが、今これは産業として、なりたちづらくなっている。じっさい、作業の音や、織機《しょっき》の響きをあのあたりで耳にすることは、もうほとんどない。

さきほどは、地蔵盆に言いおよんだ。だが、今の西陣ではこれを継続している町内も、少なくなっている。山名町でもやらなくなったと、聞かされた。新しく入ってくる住民が、地域にいないわけではない。しかし、以前の西陣は見る影もなくなった。

そんなおとろえゆく姿に、私の筆はにぶっているのかもしれない。

——町衆の歴史をふりかえる

西陣の、今につながる歴史は、応仁の乱からはじまる。だから、西陣の住民はこの乱を、しばしばふりかえる。つい「このあいだ」のこととして、語ってしまうこともある。その点は、納得していいただけただろうか。

ならば、西陣以外の住民にとっては、どうだったのだろう。あの内乱は、いかなる意味をもっていたのか。こんどはその歴史を、少しさぐってみたい。

応仁の乱がはじまる前、室町時代のなかばごろには、有力大名が合議で政治を左右した。京都の市中管理も、彼らがになっている。しかし、乱がおわると、多くの大名たちは京都をひきあげた。自分の領地へもどっている。

もちろん、室町幕府や朝廷は京都にとどまった。あるいは、多くの公家たちも。しかし、彼らは、統治能力をなくしている。大名たちの駐屯で、なんとかたもたれていた京都の治安は、悪化した。街は無政府状態に、おちいったのである。

また、諸大名とその家来たちにさられた京都は、人口が激減した。今の二条通と出水通《でみずどおり》にはさまれたあたりは、もぬけのからとなっている。まったくの更地《さらち》と化したのである。人家は、出水通以北と二条通以南の、ごくかぎられた範囲にしか見かけられなくなった。

京都の街場は、そのため南北に分断されている。上京《かみぎょう》と下京《しもぎょう》にわけられた。現行の上京区や下京区とはちがう。当時の上京と下京に、へだてられた。上京は、今の紫明通から出水通まで。下京では、二条通から松原通へいたる一帯に、人びとが集住した。なお、西陣はそんな上京の西端に位置する地区である。

上京と下京は、それぞれの街を土塁や塀、あるいは堀などでかこっている。公権力は弱体化しており、治安維持という点で、多くをのぞめない。そんな状況下に、彼らは街の自主防衛へふみきった。それぞれの街区を物理的な障壁でとりまき、防御の態勢をかためている。

上京でも下京でも、街の運営には住民じしんがのりだした。いわゆる町衆の自治を、実現させている。

かつては、王朝政府に統治されていた。室町時代の前半期には、室町幕府の支配をうけている。安土桃山時代には、織田信長や豊臣秀吉の介入を、はねつけられなくなる。江戸時代以後は、市中の行政が江戸幕府の管理下に再編された。二条城を中枢とする城下町めいた環境での生活を、町衆も余儀なくされるようになる。

しかし、応仁の乱がおわったあと、しばらくのあいだはちがう。室町時代の後半には、公権力が作動しなかった。信長が京都へくるまで、市中はアナーキーな時代をへてきている。両京の町衆が自治を謳歌《おうか》したのは、そんな時期にほかならない。あるいは、自治にふ

応仁の乱のあとの上京と下京

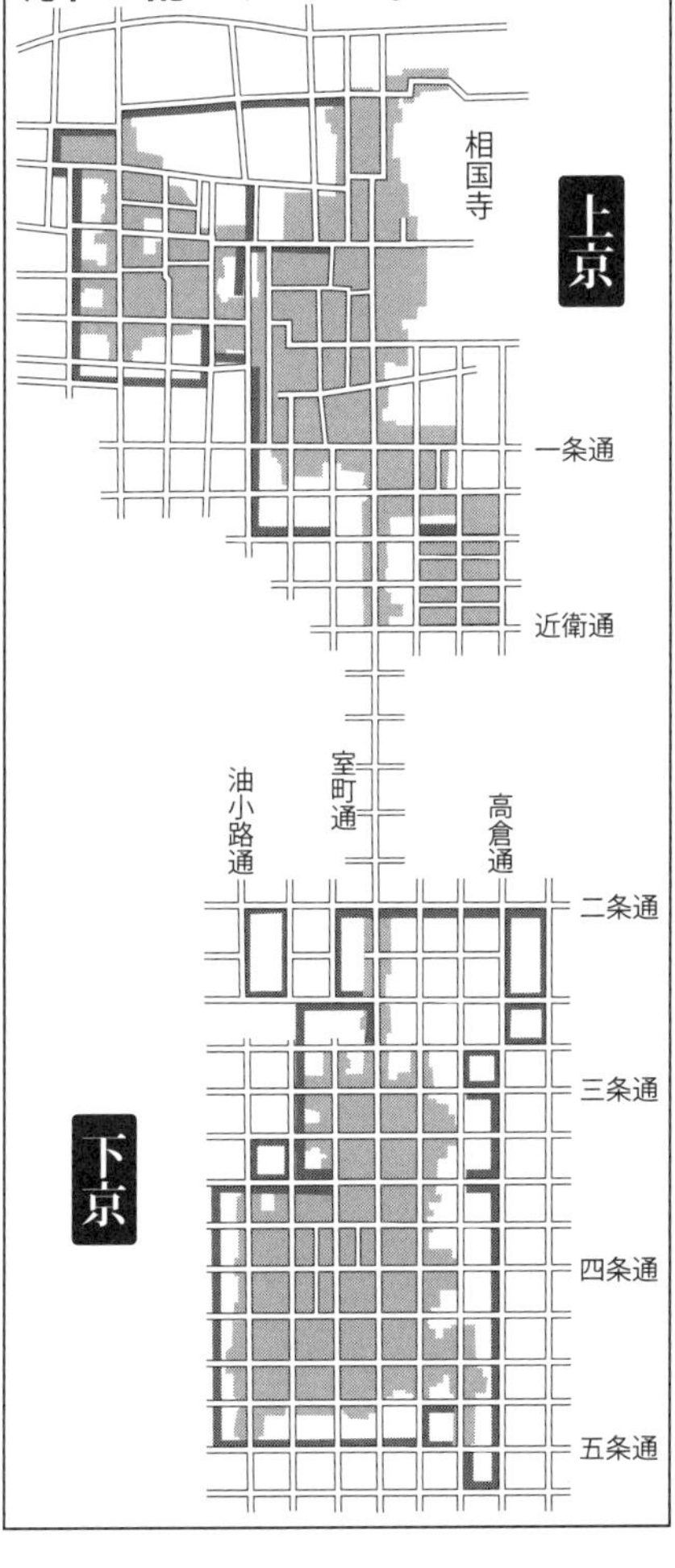

みきらざるをえなかったと言うべきか。

くりかえすが、戦国期の天下人たちは、京都の市政にも口をはさみだす。たとえば、秀吉は聚楽第《じゅらくだい》という城郭をもうけ、京都の城下町化をすすめようとした。また、上京と下京がふくまれるひろい範囲を、いわゆる御土居《おどい》でかこっている。

上下両京は、自分たちの居住区を、塀や堀などでまわりからへだててきた。町衆自治の象徴とも言うべき工作物で、街区をとざしている。秀吉の御土居は、それらをはるかに上まわる規模の城壁である。両京分断の根っこにあった町衆の自治意識を、あざ笑うような構築物ではあった。

江戸幕府は、二条城をもうけ京都の城下町化を、よりいっそうすすめている。とちゅうで聚楽第を破却した秀吉の政権より、その徹底性は強かった。

二条城の前には、二条通がとおっている。二条城の凝集力もあってのことだろう。この道は、西側の山陽道や山陰道ともつながる、幹線道路になりおおせた。また、三条通は東海道の延長上にあり、東へむかう物流の大動脈となっている。

二条通以北が、応仁の乱で空き地となっていたことは、すでにのべた。しかし、江戸時代にはその周辺へ、ビジネスチャンスをうかがう商人が、むらがりだす。近江、美濃、伊勢あたりから、ぞくぞくと流入した。

二条城の東側へつどった彼らを、幕府は優遇する。自治意識を色濃くのこす下京あたりの町衆より、好意的にむきあった。そのため、新参者であるにもかかわらず、彼らの存在感は強くなる。一七世紀のおわりごろには、中京衆《なかぎょうしゅう》とも称された。上下両京のなかほど、中京とでもよぶべきところへむらがった新しい町衆だ、と。

やがて、彼らは大阪や江戸でも、店をかまえるようになる。京都から全国へはばたいた事業者の多くは、彼ら中京衆なのである。

ともかくも、江戸時代には上京と下京のあいだにできていた空き地が、うめられた。政商めいたところもある幕府寄りの商人が、両京の中間地域にあつまっている。町衆の自治とともにあった上京と下京の分断を、幕府は解消させたのである。

応仁の乱で成立した自治を背景とする街の構えは、後景へしりぞいた。上京と下京の町衆ではなく、中京衆を京都の中心におく時代が到来する。上下両京で自治のかがやいた時代は、すぎさったと言うべきか。

にもかかわらず、祇園祭をになう町衆たちは、今でも言いつのる。丸太町通より北のほうは、もう自分たちとつながらない。上京は、べつの街である、と。

応仁の乱で、上京と下京はたがいに独立した地区となった。そのそれぞれで、自治の精神をはぐくんでいる。だが、後にできた統一政権は、上下両京の一体化をはかる方向で、京都とはむきあった。江戸時代には、両区域のあいだに横たわる空隙も、うめている。

なのに、両者をわけて考える意識は、けっしてなくなっていない。さきほどは、丸太町通の北側が公家町であったことを、強調した。そのせいで、今なお南側の町衆は北側を縁遠く感じると、のべている。さらに、ここでは新しい説明を追加する。応仁の乱による上下両京の分断も、そこにはあずかっているだろう、と。

今、祇園祭を執行しているのは、応仁の乱でできた下京の後裔たちである。そこに、中京衆もかかわって、あの祭礼は挙行されてきた。それをささえる町衆たちが、今日なお上京をきりはなして位置づけようとする。この点は、見すごせない。

応仁の乱で成立した自治の精神は、雲散しなかった。江戸時代や明治以後の荒波をのりきり、今でも息づいている。ね強い伝統となって、街をおおってきた。この点に関するか

祇園祭 山一番を引き、くじ改めに臨んだ蟷螂山の役員　2018年

ぎり、伝統を近代の構成品とみなす読み解きには、よりそえない。

祇園祭の町衆が、応仁の乱を「このあいだの戦争」とみなすかどうかは、不明である。彼らも、西陣でくらす人びとほどには、この乱を語りついでいないような気がする。話題にあがる頻度は、蛤御門の変でもたらされた戦禍のほうが高かろう。

ただ、応仁の乱がもたらした京都の構図は、今も街をとらえている。その意味で、京都にとっては大きな戦争だったと、考える。

上京側が、今下京をどうとらえているのかは、わからない。髙島屋や大丸をはじめとする百貨店は、下京側にある。上京の人びとが、買い物などで下京へ足をはこぶ機会は、多かろう。少なくとも、逆のパターンよりは一般化されているはずである。下京側を別世界ととらえる意識は、そう強くないと思う。

それに、上京でながらくくらしてきた公家衆は、明治維新でほとんど東京へ転出した。西陣でも、職人町としての伝統は、とだえだしている。下京側ほどには、町衆意識をとどめていないかもしれない。

それでも、応仁の乱を想う歴史意識は、西陣に強くのこっている。やはり、上京の場合もふくめ、京都にとっては決定的な内乱だったのだと、のべておく。

乱の内実については、呉座《ござ》勇一のあらわした『応仁の乱』(二〇一六年)が、くわしい。同じ勤め先の研究者が書いた本なので、ほめにくいけれども、好著である。乱の複雑きわまりないようすを、ていねいにときほぐしている。

ただ、読みとおすのは、骨がおれる。なにしろ、室町時代の、あまりなじみもない人が、たくさんでてくる本である。ていねいに読まないと、理解はおぼつかない。

刊行されて、まだそう日もたっていないころであったと思う。私は京都の飲み屋で、耳よりな話をおしえられた。酔客たちの話題が、何かのはずみであの本へおよぶ。酒の肴《さかな》にしながら、何人かの客が語りあう。そんな一晩が、くだんの居酒屋ではあったらしい。

読みづらいあんな本の、どこがどうおもしろがられていたのか。そうたずねた私に、マスターはこたえてくれた。酔客たちは、自分の血縁が登場することに、興じあっていたのだ、と。

あの本にはうちの家系とつながる者が、でてくる。お前んとこもか、うちも、そうや。うちの先祖も顔をだしてるけど、けっこう要領ようたちまわっとったみたいやな。へぇ、今のお前といっしょやないか。血はあらそえんもんやな。そんなやりとりで、一座はわいていたらしい。

たまらなく京都的な光景が、くりひろげられていたということか。じっさい、ほかの街でこういう会話は、なかなかはずまないだろう。

応仁の乱より前にさかのぼれる老舗は、それほど多くない。だが、なりわいをかえつつつづいてきた家系は、そこそこある。もちろん見栄をはって、京都での継承性を誇張するむきも、なかにはいるだろう。そして、そういう方向へ虚栄心があおられやすいところに、私は京都を強く感じる。

やはり、歴史に生きる老舗の多い街なのだと、かみしめる。

くどいが、今でも都《みやこ》は京都だとする京都至上主義者たちへ、最後の文句を言う。もし、ほんとうに京都が近代日本の首都であったら、街はどうなったか。まちがいなく、洛中の中心街区には、超高層ビルが林立していたろう。都心の一等地は、地上げにつぐ地上げで、巨大資本が占有したはずである。

数百年の由緒をほこる小さな老舗は、洛中にとどまれまい。洛外、あるいは他府県への転出を強いられたろう。でなければ、廃業を余儀なくされたにちがいない。今のいわゆる京都らしさも、一掃されたのではないか。

東京は京都から、首都という重荷をおろしてくれた。京都にかわって、しんどい仕事をひきうけている。おかげで、京都は多くの老舗を温存することができている。町衆の伝統も、なんとか保ってきた。東京が、近代日本の首都役をつとめてくれたおかげである。その点では、もっと東京に感謝をしてもいいぐらいだと思うが、どうだろう。

（文中敬称を略させていただきました）

あとがき

二〇一七年のことであった。個人的な事情があって、私は自分の出生届をとりよせている。役所からとどいた書類を見て、おどろいた。なんと、私は京都市の中京区で生まれたことに、なっている。

二〇一五年に刊行した『京都ぎらい』では、こう書いた。私は宇治にすんでいる。そだったのは右京区の嵯峨、生まれたのは、やはり右京区の花園であった。典型的な洛外者である、と。そのため、洛中の京都人からはあなどられてきたとも、のべている。

どうやら、この出生に関する自分語りはまちがっていたらしい。それまでは、右京区の花園で生まれたと、すっかり思いこんでいた。本にも、そう書いている。だが、役所の公文書は、私の生地を中京区だとつげている。いったい、どういうことなんだ。うろたえた私は、このことで老いた母を問いつめた。

母によると、私をとりあげてくれた病院は、中京区にあったらしい。出生の手続きをどうしたのかは、もうおぼえていないという。たぶん、そのまま中京区で処理をしてしまったんじゃあないかと、聞かされた。家の住所じたいは、右京区だったのに。

そう言えば、右京区の花園は中京区の西ノ京と、境をせっしている。私が生まれたと思っていた家から五百メートルほど東へすすめば、中京区になる。母が私を中京区の病院で出産する可能性は、じゅうぶんある。そこに気がまわらない私は、うかつであった。

もちろん、出生の秘密（？）を知っても、私に京都人という自覚はめばえない。たまたま、中京区の病院で生をうけたというだけである。基本的には、洛外でそだっている。のみならず、父や母は他県からの流入者であった。私の自意識は、あいかわらず洛外者のままである。また、洛中の人びとも私のことを京都人だとは、ぜったいにみなすまい。

だが、洛外の人びとは、この事実を聞かされどんな気持ちになるだろう。たとえば、伏見区や山科区で生まれそだったという人たちの反応は、気になる。自分は、『京都ぎらい』の洛中批判に共鳴した。よくぞ書いてくれたと、気持ちをよせてもいる。そんな読者は、私の出生を知ってどう感じるか。
えっ、井上さんは中京区で生まれたの。前は、あれだけ右京区生まれの洛外者やて、言《ゆ》うてたのに。あれ、嘘やったん。洛外どうしの絆も感じていたのに、中京区て、どういうこと……。

あの人は、やっぱり京都の人やったんや。『京都ぎらい』を読んだ時も、うすうす感じたしな。京都のことをきらいやて、いちおう口では言うたはる。でも、ほんまは好きなんやで。あの「きらい」は、好きの裏返しみたいなもんや。と、そんなふうにうたがわれるかもしれない。

じつは、中京区に生まれている。洛中の片隅と言えそうなところで、生をうけていた。この告白には、洛外の読者を失望させかねないところがある。いろいろ、邪推をされる可能性もなくはない。告知はせずに、頰かむりをきめこむ手もあったろう。
しかし、私の知人たちは、おしなべて沈黙に反対した。ああいうことを書いておいて、そこをにぎりつぶすのは、あんまりだろう。やはり、しかるべき機会に報告をしたほうがいいのではないか、と。

私じしん、そう思う。京都では、洛中と洛外のあいだに、重大なちがいがある。自分は、まじり気のない洛外者として、この問題にむきあう。そうまちがって書いた以上、だまっていることはゆるされない。洛中との接点が皆無ではなさそうなことも、やはりつげておくべきだと考える。

ただ、懺悔《ざんげ》の決意をかためてからは、その文句をきわだたせることに、腐心した。文章のなかへ、ひっそりしのばせるようにはしない。めだつところへ、はっきり書きつける。その部分に読者の注意があつまるよう、作文上の計画をねりだしている。この「あとがき」へ、出生のくだりをもちこんだのは、そのためである。

さて、「まえがき」の私は、若いころにいだいた東京への憧憬を語っている。首都へでて、一旗あげたいと想った時期のあったことを、すなおに書いた。

この回顧も、「あとがき」のうちあけ話と、じつは対をなしている。執筆へむかう前に、私はきめていた。「あとがき」では、あらいざらいのべてしまおう、と。ならば、「まえがき」でだって、いつわりはつづれない。東京へのあこがれはかくすべきじゃあないと考え、書ききった。

東京批判の本をあらわさないかと、私はいくつかの出版社から、声をかけられている。京都と東京をくらべるこの本でも、編集の田島正夫氏からは言われていた。東京のことは、思いきって否定的に書きましょうよ、と。

ひょっとしたら、そういう本のほうが売れゆきはいいのかもしれない。だが、私の書きっぷりは、京都をくさす方向にすすんでいる。その点では、読者の期待をうらぎっているのかなとも思う。

東京を論難するのなら、若いころに魅了されたことなど、ふれないほうがいい。口をつぐんで、悪口にみがきをかける手はあったろう。いわゆるバブル期にはやった江戸東京語りの、そのあらさがしだってできたはずである。しかし、憧れの記憶がある私は、そこへふみこめない。こういうしあがりの本になってしまったしだいである。

もっとも、今の還暦をこえた私に、首都東京でくらす自信はない。少なくとも、もう都心にはなじめないだろう。以前、渋谷で不覚にも、ハロウィンのさわぎとでくわしたことがある。あれは極端な例だと思うが、とうていここにはすめないと、かみしめた。

観光シーズンの京都も、私にはつらい。故郷の嵯峨も、渋谷なみになることがあり、でかけるのはためらう。くらべれば、宇治は比較的おだやかである。ツーリズムの喧騒が、あまりとどかぬことをねがいつつ、この文をしめくくる。

井上章一 いのうえ・しょういち

1955年、京都府生まれ。国際日本文化研究センター（日文研）所長。京都大学工学部建築学科卒、同大学院修士課程修了。京都大学人文科学研究所助手をへて日文研教授。専門の建築史・意匠論のほか、日本文化について、あるいは美人論、関西文化論などひろい分野にわたる発言で知られる。著書に『霊柩車の誕生』（朝日文庫）、『つくられた桂離宮神話』（講談社学術文庫）、『美人論』『関西人の正体』『阪神タイガースの正体』（朝日文庫）、『南蛮幻想』（文藝春秋）、『人形の誘惑』（三省堂）、『パンツが見える。』（朝日選書）、『アダルト・ピアノ』（PHP新書）、『日本に古代はあったのか』（角川選書）、『伊勢神宮』（講談社）、『現代の建築家』（ADAエディタ・トーキョー）、『京都ぎらい』『京都ぎらい 官能篇』（朝日新書）など多数。

朝日新書
760

京都《きょうと》まみれ

2020年4月30日第1刷発行

著　者　井上章一

発行者　三宮博信

カバーデザイン　アンスガー・フォルマー　田嶋佳子

印刷所　凸版印刷株式会社

発行所　朝日新聞出版
〒104-8011　東京都中央区築地5-3-2
電話　03-5541-8832（編集）
　　　03-5540-7793（販売）

Published in Japan by Asahi Shimbun Publications Inc.
ISBN 978-4-02-295063-5
定価はカバーに表示してあります。

落丁・乱丁の場合は弊社業務部(電話03-5540-7800)へご連絡ください。
送料弊社負担にてお取り替えいたします。